①

HET ANDERE UUR

Patricia De Landtsheer

Het andere uur

Uitgeverij C. de Vries-Brouwers
Antwerpen   Rotterdam

CIP GEGEVENS KONINKLIJKE BIBLIOTHEEK, 's-GRAVENHAGE
C.I.P. KONINKLIJKE BIBLIOTHEEK ALBERT I

De Landtsheer, Patricia

Het andere uur / Patricia De Landtsheer. –
Antwerpen ; Rotterdam : de Vries-Brouwers.
ISBN 90-5341-189-5
NUR 284
Trefw.: verhaal

Omslag: Bram Didelez

ISBN 90 5927 311 7
D/2002/0189/43
NUR 284

Een

Met een resolute beweging ritst Pieter de bagagetas dicht.

'Zullen we eerst alles nog eens nakijken?' vraagt moeder met een bezorgde rimpel tussen haar wenkbrauwen.

'Nee, mam, dat heb ik al drie keer gedaan. Als het nu nog niet volstaat, dan weet ik het niet meer!'

Moeder kijkt Pieter aan alsof ze hem nooit meer zal terugzien. 'Wat jammer toch dat ik niet met je mee kan. Ik had je zo graag uitgezwaaid. Net nu je voor een hele week op schoolreis vertrekt.'

Pieter glimlacht en trekt haar tegen zich aan. 'Maak je nu maar geen zorgen, mama. Als er iets niet kan, dan moet je er ook niet verder over zeuren. Ik red me wel. Ik ben heus geen baby meer.'

Moeder probeert zijn verwarde haardos weer glad te strijken. Haar ogen kijken een beetje droevig en tegelijkertijd een beetje trots. 'Wat ben je de laatste tijd een stuk gegroeid. Ik kan je bijna niet bijhouden. Straks ben je groter dan ik,' zegt ze.

'Dat ben ik nu toch al,' lacht Pieter, terwijl hij zijn bovenlichaam zo lang mogelijk probeert uit te rekken.

'Mallerd,' zegt moeder. Ze bindt de zware tas achterop de fiets. 'Zo, dat is het ongeveer. Beloof je me dat je heel erg voorzichtig zult zijn?'

'Ja, mama.'

'En als er iets is... ik bedoel, als je je ginder niet goed voelt, laat je het me dan weten?'

'Ja, mama.'

'En als je...'

'Zeker mama.' Hij legt zijn wijsvinger tegen haar lippen en laat haar niet uitspreken.

'Vooruit dan maar, tot vrijdagavond,' zucht ze.

Hij geeft haar een zoen.

'Word je toch niet liever met de wagen gebracht?' probeert ze nog.

'Nee, mama, ik ga met de fiets. Ik moet trouwens voortmaken. Straks vertrekt de bus zonder mij.'

Voor Pieter de straat uitrijdt, kijkt hij nog even om. Moeder wordt een gekleurde stip in het witte ochtendlicht.

Op en rond de 'Bruinkaai' waar de leerlingen moeten inschepen, hangt een verwachtingsvolle, opgewonden sfeer.

Als de rode neus van de eerste autobus om de bocht verschijnt, stijgt er een oorverdovend gejuich op. Iedereen wurmt zich zoveel mogelijk in de richting van de opstapplaatsen.

'Niet dringen, niet dringen, jullie komen allemaal aan de beurt. Als je gewoon twee rijen vormt, komt alles in orde.' Het stemgeluid van taalleraar Mertens verdrinkt in het rumoer. Om zijn toch wat belachelijke piepstem kracht bij te zetten, bedient hij zich van een grote, witte megafoon waarachter zijn apengezichtje bijna helemaal schuilgaat. Tevergeefs natuurlijk. Tegen de hoge decibels van de kriskras door elkaar kwetterende stemmen is niets opgewassen.

De reistassen worden keurig in de laadruimte opgeborgen. Daarna kunnen ze eindelijk in de bus.

Zodra Pieter in de bus stapt, bekruipt hem een gevoel van duizeligheid. De smalle gang lijkt even op en neer te deinen waardoor hij zich een beetje angstig voelt. Vlug zoekt hij een plaatsje bij het raam en tuurt naar buiten. Gelukkig verdwijnt het enge gevoel snel.

'Hé, gaat het? Je ziet er zo wit uit!' roept Paultje bij zijn oor. Pieter knikt afwezig. Hij kruipt zo dicht mogelijk tegen het raam. Paultjes lippen zijn met chocolade omringd. Smakkend steekt hij Pieter een reep toe.

'Nee, echt niet,' bedankt Pieter kokhalzend. Paultje let al niet meer op hem. Hij zwaait uitgebreid naar zijn mama die een eindje verderop staat. 'Komt jouw mama niet?' vraagt hij tussen twee happen in.

'Nee, ze moest zo vlug mogelijk naar haar werk. Vanavond begint er een congres waar ze een lezing houdt.'

'Zozo,' murmelt Paultje, die er niets van begrijpt. Hij zal verder maar geen vragen meer stellen.

Sinds de dood van zijn zus is Pieter heel stil geworden. Hij zegt bijna niets meer. In de dagen na de begrafenis, toen hij nog niet terug was op school, zei de leraar dat ze hem zoveel mogelijk met rust moesten laten. Als hij zin had om over zijn verdriet te praten, zou hij dat wel doen. Maar hij is er nooit zelf over begonnen. En Paultje durft ook niets te vragen, omdat hij bang is dat Pieter misschien zal gaan huilen. Wat moet hij dan zeggen?

De bussen zetten zich in beweging. De reis is begonnen. Pieter kijkt naar het voorbijschuivende landschap. Het opgewonden gekwebbel dringt slechts in flarden tot hem door. Ze hebben de stadskern verlaten en rijden nu over de Schelde, richting autosnelweg. Helemaal boven op de brug stopt de bus. Er staat een lange file.

'Dat begint goed!' moppert juffrouw Van Zeveren. 'We zijn nog maar pas vertrokken. Ik hoop dat dit niet duurt tot in de Ardennen.'

'Welnee, mevrouwtje, hier is het altijd druk. We zitten trouwens middenin het ochtendspitsuur. Met een beetje geduld en wat goede moed loopt alles op wieltjes,' zegt de bestuurder bemoedigend.

'Ik hoop het,' zucht juffrouw Van Zeveren. Ze duwt haar bril wat steviger op haar neus, diept een tijdschrift uit haar tas op en begint te lezen.

De zon breekt door de wolken en werpt kleine glinsteringen over het water. Tussen het groen op de oever duikt het geasfalteerde pad van de dijk op. Vanuit zijn rechterooghoek ziet Pieter het Sashuis. Daarachter begint 'Het Broek' met zijn kreken, verraderlijke poelen en sloten waar hij zo dikwijls met zijn zus heeft gespeeld.

'We dalen langs die grote keien af. Zo komen we gemakkelijk tot bij het water.'

Met uitdrukkingsloze ogen staart An haar broer aan. Een grijsgroen waas, waarin Pieters silhouet vaag te onderscheiden is, duikt voor haar op. 'Dat kun je toch niet doen. Het is gevaarlijk.'

'Toch wel, bange schijterd!'

De zonnestralen toveren lichtjes in Ans blonde haren. Ze krult haar lippen afkeurend. 'Als mama het te weten komt, mogen we nooit meer alleen weg.'

'Ach wat, mama is hier toch niet. Als jij je mond houdt, komt ze het nooit te weten. Kom, geef me nu maar een hand.'

Voorzichtig probeert Pieter zijn voeten in de holten tussen de stenen neer te zetten. Maar het lukt niet zo best. De dikke keien zijn met groen wier overdekt, wat het afdalen bemoeilijkt. An steunt zwaar op hem.

'Waarom doe jij toch altijd gevaarlijke dingen?'

'Ik heb daar beneden een paar fuiken geplaatst. Ik wil zien wat erin zit.'

Voetje voor voetje dalen ze verder af. Als ze bijna bij het water zijn, glijdt Pieter opeens uit. In een reflex trekt An haar hand uit de zijne en blijft roerloos staan. De vage lijnen waar Pieters hoofd zopas nog was, zijn verdwenen. Hulpeloos strekt An haar armen voor zich uit. Ze heeft nu helemaal geen steunpunt meer. Pieter komt met zijn knie op een vooruitstekend stuk beton terecht en gilt.

'Wat gebeurt er?' Ans stem trilt. Ze beeft over haar hele lichaam. Ze staat nog altijd op dezelfde plaats, bang om net als haar broer naar beneden te glijden.

'Maak je geen zorgen. Ik ben gewoon uitgegleden. Ik probeer nu zo dicht mogelijk bij jou te komen zodat ik je hand kan pakken.'

'Wat is er dan?'

'Mijn knie bloedt, dat is alles.'

'Zie je nu wel. Ik heb je gewaarschuwd!'

'Ach meid, zeur toch niet zo. Help me liever terug naar boven.'

9

Even later liggen ze hijgend naast elkaar in het lange gras van de berm. De hemel koepelt boven hun hoofden. De zon brandt op hun gezicht.

'Had ik maar een pleister,' moppert Pieter.

'Je moet de wond eerst goed uitwassen en er dan pas een pleister opdoen,' zegt An.

'Jij lijkt mama wel,' lacht Pieter.

Hij helpt zijn zus overeind. Even staat ze tegen hem aan. Hij bekijkt haar van dichtbij. 'Mooie zus met de blonde haren,' drukt hij opeens een zoen op haar wang.

Samen lopen ze het dijkpad af. Half verscholen tussen de struiken duikt het sashuis op.

Pieter stoot de gammele deur open. Het ruikt er naar moer en dras. In de herfst of als het langdurig heeft geregend, komt het sashuis soms onder water te staan. Nu, middenin de zomer, is er geen gevaar. Jaren geleden woonde er een sasmeester. Er was ook een kleine pont. Met de boot bracht de sasmeester de mensen naar de overkant. Nadat de man gestorven was, wilde echter niemand zijn taak overnemen. Dat was meteen de reden waarom het sas werd afgeschaft. Pieter en An komen hier vaak. Het is hier rustig en stil. Soms blijven ze uren voor het sashuis op de bank naar de vogels luisteren. Hun fluiten klinkt hier anders. Doordringender. Intenser. Magischer. In de loop van de tijd heeft Pieter enkele bezittingen naar hier gesleept. Er staat een houten kist die hij wat verderop tussen het riet heeft gevonden. Een tafeltje dat hij van het groot vuil heeft gehaald en twee zitbankjes uit het magazijn van zijn vader. Aan een meerpaal dobbert een boot. Het bootje behoorde vroeger aan de sasmeester. Nu is het Pieters eigendom geworden. Hij heeft het helemaal alleen opgeknapt.

'Zal ik je naar de overkant roeien?'

'Is het wel veilig?'

'Je weet toch dat ik een voortreffelijke zeeman ben.'

'Zeeman! Hoor hem eens!'

'Hoe moet ik mezelf dan noemen? Ik kan toch moeilijk 'stroomman' zeggen.' Ze schieten allebei in de lach.

Voorzichtig leidt Pieter zijn zus naar de boot en helpt haar instappen. Met de roeispaan stoot hij af. Langzaam drijft het bootje van de oever weg.

'Zullen we gaan kijken of er iets in de fuiken zit?'

'En als er een schip komt?'

'We blijven zo dicht mogelijk bij de oever, dan kan ons niets gebeuren.'

An zucht. Het helpt niet iets tegen de beslissing van haar broer in te brengen, hij doet toch altijd zijn zin.

De fuiken zijn leeg op wat slierten wier en enkele rotte houtstompjes na. Pieter plaatst ze terug.

'Morgen kom ik terug. Misschien heb ik dan meer geluk. Vannacht is het volle maan.'

'Hoe kom je erbij hier te willen vissen?' vraagt An.

'Men beweert dat hier paling zit.'

'Ach wat, ik geloof er niets van. Paling wordt toch gekweekt op daarvoor speciaal bestemde plaatsen.'

Pieter antwoordt niet. Hij roeit de boot naar het sashuis. Ze gaan aan het tafeltje zitten. Hij diept zijn verzameling stenen uit de houten kist op en stalt alles voor zich uit op het tafeltje.

'Mag ik er een vasthouden?'

Hij zoekt een grote gladde steen uit, waarop blauwe en groene strepen zitten en legt hem in de kom van haar hand. Zacht glijden haar vingers over de steen. Het is alsof ze iets zoeken.

'Vertel mij wat je ziet, Pieter.'

Hij leidt haar wijsvinger langs de nerven. 'Dit hier is een groene ader. Een beetje verder wordt hij blauw. Misschien is het wel een stroom die vanuit een groen meer vertrekt, waar het heel koel is. Er zwemmen gekleurde vissen in het meer. Soms springen ze omhoog, naar de zon. Telkens als de vissen uit het water wippen, daalt er een regen van glinsterende druppels neer. De druppels lijken van zilver.' Hij zwijgt en staart naar het blonde hoofd van An. Tussen de lichte haren onderscheidt hij vaag het litteken. Zijn ogen worden vochtig.

'Vertel verder.'

'Het zilver zit nu in je haren. Samen met de zon. En de vissen.'

'En verder?'

'Er schuift een wolk voor de zon. Het zilver verdwijnt. Het meer wordt weer groen. Groener dan daarstraks.'

'Vertel niet over het meer. Ik wil het verhaal van de zon horen.'

Met een schok komt de bus tot stilstand. Geschrokken veert Pieter recht. Er weerklinkt gejoel en gelach. Enkele leerlingen die in het gangpad stonden, tuimelen bijna over elkaar.

'Was je in slaap gevallen? Je gaf de hele tijd geen kik,' zegt Paultje.

'Welnee. Waar zijn we nu?'

'Wat dacht je?'

'Toch niet...?'

'Toch wel. We zijn net aangekomen, kijk maar,' lacht Paultje, terwijl hij met de stroom leerlingen mee naar voor schuifelt.

Beduusd blijft Pieter zitten. Hij begrijpt het niet. Heeft hij dan zo lang geslapen?

'Hé, Piet, blijf je hier wonen?' Meester Bert klopt hem vriendelijk op de schouder. 'Komaan, jongen, we moeten eruit!'

Pieter laat zich meevoeren. Werktuigelijk grijpt hij de tas die hem door taakleraar Mertens wordt toegestopt. 'Wakker worden, Pieter. Het slaapuur is voorbij.'

Twee

'Le Lion' is een gezellig familiepension dat in het midden van het dorp staat. Het voorste gedeelte is gereserveerd voor gezinnen. Achteraan, met zicht op de tuin, is een stuk bijgebouwd waar groepen logeren. Een brede gang verbindt de verschillende paviljoenen met elkaar.

'Ik hoop dat we vlug iets tussen de kiezen krijgen,' murmelt Paultje. 'Ik heb zo'n honger dat ik wel drie hamburgers zou kunnen verslinden.'

'Heb jij ooit wel iets anders dan honger?' lacht Pieter.

Paultje staat bekend om zijn stevige eetlust. Hij lust werkelijk alles.

'Lach jij maar. Ik ga poolshoogte nemen of er niets te versieren is,' glundert hij terwijl hij zich naar de balie wurmt waar allerlei heerlijkheden in een vitrine uitgestald liggen.

Kon ik maar zo onbezorgd door het leven gaan als Paultje, denkt Pieter. Die heeft van niets of niemand last. Die voelt zich goed in zijn vel ook al wordt er wel eens een grap gemaakt over zijn snoepen. Hij maakt zelfs grappen over zichzelf. Paultje lacht alles weg. Zijn zonnige karakter steekt iedereen aan zodat hij eigenlijk ieders vriend is.

Zenuwachtig drentelt Pieter heen en weer. 'Waarom kom je niet bij ons?' roept Lies in zijn richting.

'Straks!' roept hij terug. 'Eerst even die tijdschriften inkijken!'

Hij slentert naar de balie. Voorlopig zoekt hij geen gezelschap. Te veel rumoer en drukte storen hem. Lies trekt haar schouders op en gaat verder met haar verhaal. Het geroezemoes in de hal klinkt als een gonzende bijenkorf.

Pieter neemt een tijdschrift. Hij heeft het moeilijk om zijn gedachten te ordenen. Wanneer mogen ze eindelijk naar hun kamer? Dan zou hij even kunnen liggen en langzaam rustig worden. Afwezig tuurt hij in het rond. Opeens wordt zijn aandacht getrokken door een bejaarde, excentriek geklede man die langzaam de trap afdaalt. Hij draagt een geruit pak en heeft een Sherlock-Holmespet op zijn hoofd. De man geeft enkele instructies aan de vrouw achter de balie en stapt dan met afgemeten pasjes naar de uitgang. Als hij bijna bij de deur is, blijft hij opeens staan en bekijkt Pieter doordringend. Dan stapt hij weer verder.

Pieter slikt krampachtig. Rond de pupillen van de man tekent zich een lichtgroene krans af. Een koude rilling loopt langs zijn ruggengraat. Wat een griezel! denkt hij.

Ondertussen is taalleraar Mertens klaar met de administratieve formaliteiten, en kunnen ze eindelijk naar hun kamer. De horde leerlingen zet zich tegelijk in beweging.

'Alsjeblieft, niet dringen. Wie te veel heibel maakt,

moet achteraan!' De hoge, schrille stem van juffrouw Van Zeveren teistert hun trommelvliezen.

'Wie wil er op de slaapzaal liggen?' vraagt meester Bert. Hij houdt het notitieboekje in de aanslag om de namen te noteren. De klas van Pieter stelt zich kandidaat.

'Even kijken,' aarzelt de leraar, terwijl hij de slaapvleugel bestudeert. 'We hebben twee slaapzalen van vijftien bedden.'

'Pech, we zijn met zestien,' merkt Jana op.

'We kunnen vragen om een bed bij te zetten,' oppert Paultje.

'Nemen jullie de kamer maar, ik slaap wel alleen,' mengt Pieter zich vlug in het gesprek. Hij ziet een overvolle slaapzaal met zuchtende en snurkende leerlingen helemaal niet zitten.

Meester Bert bekijkt hem een beetje argwanend. Hij heeft liever dat iemand anders de kamer neemt. Pieter sluit zich veel te veel voor iedereen af. Voortdurend zit hij voor zich uit te staren en als je hem onverwachts een vraag stelt, lijkt het of hij van de planeet Mars komt. Hij is er de laatste tijd gewoon met zijn hoofd niet bij. 'Weet je het zeker?'

'Ik slaap altijd alleen. Thuis doe ik het ook,' verdedigt Pieter zich.

'Ja, zo zijn er nog meer.'

'Het is echt geen moeite, geloof me,' houdt Pieter vol.

'Goed, dat is dan geregeld.'

Juffrouw Van Zeveren is ondertussen ook klaar met de indeling. Onder luid gestommel vertrekken ze naar hun kamer. In de gangen ruikt het naar boenwas en luchtververser. Pieter krijgt kamer negenendertig. Het is een éénpersoonskamertje, helemaal aan het eind van de gang. Er is een bed, een ladenkast en een op- klapblad waaraan je kunt schrijven. Kleren moeten in de muurkast. De kamer ruikt een beetje naar motten- ballen. Hij zet het raam open en gaat daarna op het bed liggen. Hij luistert naar het verre rumoer op de slaapzaal. De gillende stemmen van de meisjes drin- gen tot hem door. Waarschijnlijk houden ze nu een kussengevecht. Binnenzwevende zonnestralen teke- nen grillige schaduwen op het behang. Het lijken wel runentekens. Ergens in de tuin fluit een vogel.

'Ik probeer hem te vangen,' roept Pieter. Hij loopt achter een witte vlinder aan die van bloem naar bloem flad- dert.

'Nee, niet doen. Laat hem met rust.'

'Waarom? Een vlinder meer of minder maakt toch niet uit.'

'Toch wil ik niet dat je hem vangt.' An strekt haar armen voor zich uit. Voorzichtig loopt ze verder de tuin in tot ze bij de treurwilg staat. Ze duwt de takken weg en gaat onder de koepel van bladeren zitten. 'Kom hier bij me,' zegt ze zacht.

'Waarom mocht ik die vlinder niet vangen? Ik zou hem aan jou geven, zus.'

'Een vlinder moet vrij zijn. Vertel me liever over hem.'

Pieter kijkt naar haar gezicht met de levenloze ogen. Tevergeefs probeert ze die ogen op een punt gevestigd te houden. Maar het lukt haar niet. Telkens dwalen ze af. Heel snel.

'Hij is helemaal wit,' zegt hij.

'Waar zit hij nu? Zie je hem?'

'Ja,' jokt Pieter. 'Hij zit een beetje verder op een blad. Hij wiegt mee met de wind.'

'Ik wou dat ik ook kon meewiegen met de wind. Stel je voor dat je opeens zo klein werd dat je op een blad kon zitten. Het zou zijn alsof je op een schommel zat.'

Pieter antwoordt niet. Hij staart naar zijn zus die voor zich uit kijkt en glimlacht terwijl ze praat. Over haar wangen ligt een zachte glans. Ze ziet er gelukkig uit.

'Waarom antwoord je niet?'

'Ja, het zou zijn alsof we op een schommel zitten,' gaat hij verder.

'Laten we gaan schommelen,' lacht ze.

'Nu nog? Straks wordt het donker.'

'Welnee, de zon geeft nog zoveel warmte. Het kan nog niet laat zijn.'

Hij trekt haar overeind. De zoete geur van de shampoo die ze vanmorgen bij het douchen heeft gebruikt dringt in zijn neus. Hij kijkt op haar neer, want hij is een stuk groter. Bij haar slaap klopt een ader. Hij ondersteunt haar. Telkens als ze een oneffenheid in de bodem naderen, waarschuwt hij. Ze haalt diep adem.

'Het ruikt hier naar bloemen. Vertel me over alles wat je ziet, Pieter.'

'Dat is niet gemakkelijk,' lacht hij. 'Ik moet goed uitkijken waar ik loop. Ik moet er vooral voor zorgen dat jij niet struikelt.'

'Als ik struikel, vang je me toch op.'

'Ja, natuurlijk,' zegt hij zacht.

Het kiezelpad kronkelt verder langs de vijver. Opeens houdt ze stil en steekt haar hoofd schuin omhoog. Het is alsof ze naar iets luistert.

'Wat is er?' vraagt hij.

'Ik kan de waterlelies horen groeien,'

'Kom nou, zusje, doe niet zo mal. Zoiets is toch onmogelijk.'

'Alles wat je niet kunt zien, kun je horen.'

Pieter kijkt naar het wateroppervlak van de vijver. Er groeien inderdaad waterlelies.

'Welke kleur hebben ze?'

'Wit, met een beetje rood aan het hartje.'

'Zijn er zwanen?'

'Nee.'

'Een vijver zonder zwanen is droevig.'

'Ach welnee.'

'Toch wel. Er is niets mooiers dan een witte zwaan die geluidloos over het water glijdt. Ik heb altijd al een zwaan willen zijn.'

'Eerst wou je een vlinder zijn, en nu een zwaan.'

Ze antwoordt niet. Ze legt haar hoofd op zijn schouder. Haar vingers zoeken zijn hand. Zo blijven ze zitten.

'Ik ben moe,' zegt ze na een tijdje. 'Breng je me naar huis?'

'En de schommel?'

'Een andere keer.'

Een harde bons op de deur van Pieters kamer. Hij schrikt en zit meteen rechtop in bed. Heeft hij geslapen of heeft hij weer gedagdroomd?

'Hé, Pieter, tijd om naar beneden te gaan. Er is gebeld voor het middagmaal.' De deur zwaait open. Paultje staat in de opening. Zijn ogen schitteren. Paultje verheugt zich op de kip met frietjes die vandaag op het menu staan.

'Kom mee, we gaan lekker smullen,' roept de jongen uitgelaten.

Een paar meisjes stormen lachend voorbij. Op de gang is er opeens verschrikkelijk veel lawaai.

'Wees alsjeblieft toch een beetje stil,' roept meester Bert. Zijn stemgeluid verdwijnt in het tumult.

Pieter sluit zijn kamer af en komt langzaam in beweging. Hij botst tegen iemand op.

'Hé, slome, kijk uit waar je loopt,' brult Jasper in zijn oor. Jasper zit in klas B. Hij is een driftkikker. Bij het kleinste voorval stuift hij op.

Pieter antwoordt niet. Hij loopt achter de anderen aan naar beneden.

De zaal gonst van stemmen. De meeste leerlingen zitten al op hun plaats. Pieter komt aan het eind van tafel negen te zitten. De pensionhoudster, mevrouw Fendant, staat tussen meester Bert en juffrouw Van Zeveren. Ze heet de kinderen welkom en wenst hun een fijne vakantie toe. Na een paar korte instructies voegt ze zich bij het bedieningspersoneel. Zenuwachtig trippelt ze heen en weer tussen de rijen. Haar bolle, blozende wangen en het ronde buikje achter de hagelwitte schort getuigen van een stevige eetlust. Mevrouw Fendant lijkt een beetje op Pieters tante Klara. Die is ook zo rondborstig en goedlachs. Pieter vindt mollige mensen leuk en gezellig. Het is of ze meer lachen dan anderen, alsof ze positiever in de wereld staan. Toen An net begraven was, heeft hij een tijdje bij tante Klara gelogeerd. Pieters neef Jelle is ongeveer even oud als hij, op een paar maanden na. Maar hoe goed tante Klara ook haar best deed om het hem naar de zin te maken, hij vroeg na enkele dagen al of hij weer naar huis mocht. Hij miste niet alleen zijn kamer met de vertrouwde spulletjes, maar hij miste vooral zijn zus, of liever, alles wat ze had aangeraakt of waar ze samen mee hadden gespeeld. Tante Klara had het onmiddellijk begrepen. Ze nam het hem in het geheel niet kwalijk. Ze begreep dat hij het moeilijk had. Ze hoefde geen verdere uitleg over zijn besluit. De avond voor hij naar huis zou terugkeren, was ze bij hem op bed komen zitten en had ze hem lang in haar armen gehouden. 'Je kunt met mij over alles praten,' had ze gezegd. En hij had spontaan moeten huilen, de eerste keer na de begrafenis. Het had hem goed gedaan zijn verdriet de vrije loop te kunnen laten. Maar toen hij dan toch wou beginnen was Jelle komen binnenwaaien met de nieuwe cd van zijn geliefkoosde band. Jelle had hem wat smalend aangekeken omdat hij huilde. Hij zei er niets van, maar Pieter had wel begrepen dat hij hem een watje vond. Grienen vond Jelle iets voor meisjes, ook al had je dan nog zo'n groot verdriet. Pieter was er helemaal kapot van geweest. Hij had zo'n houding van zijn neef niet verwacht. Die avond was hij helemaal dichtgeklapt en dat was tot nu nog geen zier veranderd.

Aan de tweede tafel is het rumoerig geworden. Free, een opgeschoten slungel, probeert met zijn lepel enkele frieten op Jans bord te mikken. Hij mist zijn doel zodat alles op de boezem van juffrouw Van Zeveren terechtkomt. Gillend veert ze overeind en stormt met een rood hoofd naar de toiletten. Veertig gierende kinderen kijken haar na.

'Nu zijn jullie toch wel te ver gegaan,' berispt meester Bert hen met een lage stem. Hij kan een lach nauwelijks bedwingen.

Als de gemoederen eindelijk wat bedaard zijn, vraagt meester Bert het woord. Gewichtig tikt hij met zijn mes tegen zijn glas en verzoekt om stilte: 'Ik heet jullie allemaal hartelijk welkom in dit mooie hotelletje waar mevrouw Fendant ons gedurende vijf dagen zal vertroetelen,' zegt hij.

De hoteluitbaatster probeert een lachje te onderdrukken.

'Jullie moeten weten dat deze reis voor de eerste keer is georganiseerd door onze plaatselijke vereniging voor natuurbehoud,' gaat meester Bert met een hoge stem verder. 'Wij zullen dan ook trachten het initiatief van deze vereniging eer aan te doen door de streek en haar gewoonten in de komende dagen zoveel mogelijk te leren kennen. Straks maken wij een wandeling door de Hoge Venen, één van de mooiste plaatsen van ons land. Iedereen wordt dus verzocht om degelijk schoeisel aan te trekken. Vergeet ook niet jullie notitieboek mee te nemen.'

Zodra meester Bert met een lichte buiging weer gaat zitten, breekt een oorverdovend applaus los.

Het nagerecht, een pudding waarvan de smaak zoek is geraakt, wordt in zeven haasten naar binnen gewerkt. Daarna gaat iedereen zo vlug mogelijk naar de kamers om zich klaar te maken voor de wandeling. Ze hebben er blijkbaar zin in. Hoe kan het ook anders als er avontuur in de lucht hangt.

Pieter probeert zo rustig mogelijk te blijven onder de zenuwachtige drukte. Hij weet dat wanneer hij zich laat meesleuren in het enthousiasme van zijn vrienden, hij binnen het uur helemaal van de kaart zal zijn. Hij is bang voor de epileptische aanvallen die hem, sinds de dood van zijn zus, soms na grote opwinding of vermoeidheid overvallen.

In het begin schrok hij ervan omdat hij, nadat hij zo'n aanval had gekregen, nooit precies kon vertellen wat hij had gevoeld of wat er met hem gebeurde. Nu is dat gevoel van onveiligheid gelukkig bijna helemaal verdwenen.

Pieters klasgenoten weten dat er iets aan de hand is. Maar hij wil in geen geval betutteld worden. Op zijn aandringen hebben zijn ouders de leerkrachten ingelicht over de aanvallen en gevraagd er niet te veel over te praten. Pieter baalt van alles wat naar overdreven bezorgdheid zweemt en wil er liefst zo weinig mogelijk mee worden geconfronteerd.

Hij vist zijn nieuwe Nikes uit de sportzak, knoopt de veters goed dicht en voegt zich op een drafje bij de anderen in de hal.

Drie

Eindelijk zijn ze in de buitenlucht. De lange sliert zet zich joelend in beweging. Meester Bert en juffrouw Van Zeveren lopen vooraan. Taakleraar Mertens sluit de groep.

Zodra ze het domein achter zich hebben gelaten, schuift Lies tussen Pieter en Paultje in.

'Heb je een beetje plaats voor me overgelaten?' vraagt ze lachend. Haar wangen lijken op twee blozende appels. Haar ogen schitteren van de pret.

Lies lacht bijna altijd. In de klas is dit soms wel een beetje vervelend. Vooral omdat Lies meestal de slappe lach krijgt om iets waar de anderen de grap niet van snappen.

Pieter stapt galant een paar passen opzij zodat ze precies tussen hun schouders past. Hij vindt Lies wel oké. Toch zoekt hij bijna nooit uit zichzelf toenadering tot zijn klasgenoten. Alleen voelt hij zich het best.

'Vorig jaar ben ik hier met mijn ouders op vakantie geweest,' vertelt Lies, terwijl ze haar tanden in een appel zet. 'Ook een stuk?' biedt ze gul aan.

Pieter bedankt. Zijn maag zit nog vol met frieten. Op dit ogenblik kan er geen hap meer bij. Paultje wil wel.

'Dan ken je de streek?' vraagt Pieter. Lies knikt.

'Eigenlijk gek dat men over de Hoge Venen spreekt, terwijl alles vlak is,' bedenkt Paultje.

'Dat denk je maar,' zegt Lies. 'Het lijkt allemaal vlak omdat je op een plateau loopt, maar het is wel het hoogste punt van België.'

'Plateau of niet, het zal mij een zorg wezen,' zeurt Paultje. 'Wanneer gaan we eindelijk uitrusten? Mijn voeten doen pijn. Van dat lopen krijg ik ook altijd vreselijke pijn in mijn zij. De dokter heeft gezegd dat ik geen te grote inspanningen mag doen.'

Lies en Pieter schieten in de lach. Die Paultje toch, altijd overdrijven!

Ze doen alsof ze zijn opmerking niet hebben gehoord, want als je te veel aandacht aan hem schenkt, voelt hij zich nog zieker.

Niet ver van de Baraque-Michel houden ze stil. Als een grote zwerm vogels strijken ze bij een dichtbegroeide plek neer.

Paultje strekt zich natuurlijk als eerste behaaglijk uit. Met een van pijn verwrongen gezicht wrijft hij over zijn enkels. Dit oponthoud komt juist op tijd. Meester Bert komt tussen hen in staan en geeft uitleg over de streek.

'Het Hoogveengebied is zowel door de natuur als door de mens ontstaan,' legt hij uit. 'Oorspronkelijk was het veel bosrijker. Vooral beukenbossen kwamen op de drogere bodems veelvuldig voor. De berken- en elzenbossen vond men meer terug in de vochtige en venige terreindepressies. Nu is het voor het grootste gedeelte één uitgestrekte vlakte geworden. Reeds van in het begin van onze jaartelling legden de Romeinen dwars door het Veen een strategisch belangrijke weg aan die Trier met Maastricht verbond. We zullen die weg even bekijken. Komaan mannen, we vertrekken, even de spieren strekken en op weg!'

Meester Bert zet er de pas in. Hij negeert het puffen en kreunen achter zich.

'Slavendrijver!' sist Paultje. 'Ik lag net zo lekker.'

Naarmate de tocht vordert, wordt het stiller. Meester Bert vertelt over de omgeving en vestigt hun aandacht op de verschillende gewassen. Zelfs de bodemstructuur wordt nader bekeken. Af en toe houden ze stil om notities te maken. Op school zullen ze deze gegevens in de aardrijkskundeles verder uitwerken.

Bij 'Les Trois Bornes' duikt eindelijk de beruchte 'Via Mansuerisca' op, die door Pater Bastin en professor Fredericq in 1932 werd blootgelegd. Ze vervolgen hun weg tussen struikheide en grote plekken bosbessen.

'Tijd voor onze picknick,' roept juffrouw Van Zeveren.

Paultje is er als de kippen bij.

'Ik wist niet dat er een picknick zou zijn,' lacht hij naar Pieter. 'Ik begon al te vrezen dat we hier binnen de kortste keren dood van de honger zouden achterblijven.'

'Mafkees!' giert Lies. Ze geeft hem een duw zodat hij achterover tuimelt. De anderen volgen hun voorbeeld. Enkele minuten later ontaardt de picknickplaats in een wirwar van bewegende, op en over elkaar rollende lichamen. Bij een ondoordachte manoeuvre komt Lies in een uitloper van een stuk moeras terecht. Het duurt niet lang of ze zit tot aan haar kuiten in de kleverige brij.

Pieter grijpt haar hand en probeert haar naar zich toe te trekken. Zijn gezicht is rood van de inspanning. Telkens glijden hun handen uit elkaar, zodat Lies nog dieper in het slijk zinkt. Meester Bert komt een handje toesteken.

'We hadden een gids moeten vragen,' merkt juffrouw Van Zeveren op. Ze houdt helemaal niet van ondoordachte escapades. Toen ze haar toestemming gaf om de groep te begeleiden, koesterde ze de illusie er eens fijn een paar dagen tussenuit te kunnen knijpen.

Met een verveeld gezicht diept ze de zonnecrème uit haar tas op en smeert er een lik van op haar neus.

'Een gids, ach welnee,' gromt meester Bert. 'Die zou ons maar voor de voeten lopen. Trouwens, ik ken de streek hier als mijn broekzak.'

'Ja, dat hebben we zopas gemerkt,' mompelt juffrouw Van Zeveren achter haar hand. Ze laat haar hoofd achterover glijden zodat de zonnestralen nu vrij spel krijgen op haar gezicht.

Met een laatste krachtinspanning, waarbij meester Bert op een opgeblazen kikker gaat lijken, glipt Lies eindelijk uit de smurrie. Maar dan zonder schoenen. Met een beteuterd gezicht tuurt het meisje naar haar beslijkte voeten.

'Geen nood, jij mag mijn gympjes aantrekken,' beslist juffrouw Van Zeveren.

'En u dan?' vraagt Lies.

'Ach, geen nood. Ik loop toch liever op hoge hakken dan op die stomme gymschoenen.'

'Oké, dan is het goed,' zegt Lies. Gelukkig heeft ze dezelfde maat als juffrouw Van Zeveren, anders werd het toch nog blootsvoets naar het hotel.

'Kunnen we nu niet beter teruggaan?' wendt juffrouw Van Zeveren zich tot meneer Mertens.

'Geen sprake van, we zijn nog maar pas vertrokken,' beslist hij. Niemand verroert een vin. 'Komaan mensen, waar wachten jullie op, het oponthoud heeft lang genoeg geduurd.'

Zonder de mening van de anderen af te wachten, stapt meneer Mertens kordaat op het pad toe dat tussen de struiken opduikt en zich als een lint door het veengebied slingert. Iedereen blijft zitten en volgt nauwgezet zijn houterige bewegingen. Even later wordt hun wachten beloond met een gil. Taakleraar Mertens is zelf in het moeras gesukkeld. Langzaam verdwijnen zijn schoenen in de smurrie. Hij vloekt binnensmonds, maar probeert zich ondanks de netelige toestand toch een houding te geven. De groep barst in lachen uit.

Meester Bert vindt dat ze toch maar beter kunnen terugkeren naar het hotel. Ze hebben trouwens al te veel tijd verloren. 'We nemen een andere weg. Op die manier zien we toch nog iets van de omgeving.'

De rest van de groep vindt het maar niets dat ze nu al moeten opstappen. Ze hadden gehoopt het volledige parcours te kunnen uitlopen.

'Ik vind het helemaal geen slecht idee,' fluistert Paultje. De wandeling heeft voor hem lang genoeg geduurd.

'Blijf zoveel mogelijk op de weg, dan kan jullie niets overkomen,' waarschuwt meester Bert.

Bij een poel houden ze stil. Daar kunnen meester Mertens en Lies hun slijkvoeten wassen.

De leraar verzoekt even om stilte. Hij wil de vogels

beluisteren. Hij diept het bandopnemertje uit zijn rugzak op en plaatst het achter een bosje opgeschoten veengras.

'Ik zal een paar opnamen maken van de vogelgeluiden,' zegt hij. 'In dit gebied leven vooral de blauwe kiekendief en de zwarte lijster. Ook de gele kwikstaart vindt hier een rustige broedplaats.'

Ze komen allemaal rond meester Bert zitten. Ze houden van het enthousiasme waarmee hij vertelt.

Met een korte beweging van zijn hand beduidt hij dat ze nu vooral goed moeten luisteren.

Ondertussen heeft Pieter zich niet ver van de poel een rustig plaatsje gezocht. Uit zijn linkerooghoek ziet hij plotseling iets bewegen. Voorzichtig draait hij zijn hoofd in de richting. Een eekhoorntje heeft zich gedeeltelijk verscholen tussen de bladeren. Pieter weet dat de eekhoorn bij de minste beweging zal vluchten.

Hij vernauwt zijn ogen tot spleetjes. Als je zo de omgeving afspeurt, ontstaan soms de vreemdste taferelen. Alles krijgt een andere dimensie. En het gezeefde licht lijkt opeens onwezenlijk, alsof het tot een andere wereld behoort. Waar het gebladerte de zonnestralen opvangt, wordt een lichte huivering zichtbaar en is het of elk blad een andere tint krijgt.

Pieter kruist zijn armen onder zijn hoofd en kijkt naar de wolken. Als vanzelf komen de herinneringen aanspoelen.

'Vertel me over de sterren, Pieter. De sterren die nu aan de hemel staan.' Ans ogen proberen zijn gezicht te vatten, maar ze kunnen de vlek waar zijn hoofd zit niet vasthouden. 'Er zijn toch sterren, hé?' vraagt ze.

'We kruipen eerst naar boven. Daar vertel ik je over de sterren,' fluistert hij.

'Nee, dat is te gevaarlijk. Ik kan onmogelijk de touwladder zien. Ik zal vallen.'

'Ach welnee, ik hou je toch stevig vast. Komaan!'

Aarzelend gaat ze staan en steunt op zijn arm. Hij leidt haar naar de wilg waarin papa een boomhut heeft getimmerd. Hij is er ontzettend trots op.

Met haar vingers bevoelt ze de groeven van de stam. Ze legt haar hoofd ertegen en luistert. 'Ik kan de stem horen,' fluistert ze.

'Welke stem, zus?'

'De stem van de boom.'

'Vanaf nu noem ik hem mijn trollenboom,' zegt ze.

'Trollenboom?' Pieter lacht. Die zus van hem weet altijd wel wat te verzinnen. 'Waarom juist die naam?'

Ze aarzelt. Ze denkt even na. 'Omdat hij zo bijzonder is. Hij heeft diepe groeven en dikke kronkelwortels. Ik hou van kronkelwortels. Ze kunnen heel veel water opslorpen.'

'Ja, natuurlijk,' glimlacht Pieter.

'Hoor je hem?'

'Wie?'

'De stem van mijn trollenboom, natuurlijk, gekkie!'

'Ja,' fluistert hij. Minuten verstrijken. Een eeuwigheid. 'We moeten nu naar boven. Tenminste als je de sterren wilt zien.'

'Nog even,' zegt ze. 'Het is zo goed hier.'

Pieter houdt de touwladder voor haar klaar. Behoedzaam klimt An naar boven. Hij komt onmiddellijk achter haar en verplaatst zijn voeten op hetzelfde ritme, zodat hij haar kan ondersteunen. Het plat van de boomhut voelt vochtig.

Ze zitten op de houten vloer en luisteren.

'Vertel me nu over de sterren, Pieter, zodat ik ze kan zien,' fluistert An. 'Vertel over Cassiopeia.' Ze vleit haar hoofd tegen zijn schouder en wacht.

'Cassiopeia staat in het westen,' aarzelt hij. 'Met een omgekeerde W staat ze aan de hemel. Tenminste, dat denk ik.'

'Vertel verder.'

'Ach, ik weet er niet zoveel van.'

'Toch wel, jij krijgt toch Griekse mythologie op school.' Ze lacht haar fijne lach.

'Ze werd door Athene aan de hemel gezet.'

'Waarom?'

Hij zucht. Als zijn zus iets in haar hoofd heeft, raakt hij niet zo vlug van haar af.

'Cassiopeia werd door Athene gestraft.'

'Waarom?'

'Omdat ze haar dochter Andromeda had willen opofferen om de toorn van Poseidon te bezweren. En nu ga je natuurlijk vragen waarom Poseidon toornig was.'

'Inderdaad.'

Weer zucht hij. Het is werkelijk geen doen met An.

'Je hoeft niet te zuchten, broertje. Je moet gelukkig zijn omdat je mij, je lieve zus, màg vertellen. Geen enkele andere jongen zou ik zoiets toestaan.'

Wat is ze toch bijdehand. Hij schiet in de lach. 'Ik vertel je graag, maar dan liever niet over Griekse mythologie waarvan ik toch geen snars begrijp.'

'Ik ben er gek op. Kom, ga nu maar verder.'

Hij schraapt zijn keel. Zij nestelt zich tegen hem aan.

'Goed. Om te beginnen moet je weten dat Cassiopeia heel gelukkig getrouwd was met Cepheus, de koning der

Aethiopiërs. Samen met hun dochtertje Andromeda leefden ze in het paleis. Cepheus regeerde zijn volk op een rechtvaardige manier zodat er in het land geen enkele ontevreden onderdaan woonde. Het leek erop dat niets het geluk van het gezin zou kunnen verstoren, tot Cassiopeia een verschrikkelijke flater beging.'

Pieter rust even. Hij kijkt naar de sterren aan de hemel. Hij heeft wel tegen zijn zus gezegd dat Cassiopeia in haar omgekeerde W aan de hemel staat, maar is er niet zeker van dat het dit sterrenbeeld is dat nu zo duidelijk te zien is.

'Waarom vertel je niet verder? Is er iets?'

Daar is ze al. Bezorgdheid ligt in haar stem. Ze is zo vlug bang, zijn zus. Ze voelt zich vlug onveilig. Dat komt doordat haar ogen almaar minder zien wat er zich rondom haar afspeelt.

'Pieter, wat gebeurde er? Welke flater beging Cassiopeia?' dringt ze aan.

Aarzelend gaat hij weer verder. 'Ze werd hoogmoedig. Cassiopeia was een zeer mooie vrouw. Haar dochter Andromeda was nog mooier. Zij pochte met die schoonheid en beweerde mooier te zijn dan de Nereïden.'

'Wat zijn Nereïden?'

'Dat zijn zeegodinnen,' verduidelijkt Pieter. 'Poseidon, de god van de zee kwam dit echter te weten en ontstak in vreselijke toorn. Als straf zond hij uit de diepte van de zee een monster dat elke dag opnieuw het land zou teisteren en niet eerder zou verdwijnen dan wanneer Andromeda zou worden geofferd.'

An kruipt nog dichter tegen Pieter aan. Ze rilt.

'Heb je het koud, zus? Zal ik je naar huis terugbrengen?'

32

'Nee, nee, vertel verder. Hebben ze Andromeda ge-offerd?'

'Cepheus en Cassiopeia boden zichzelf als offer aan, maar niets baatte. Omdat het monster elke dag meer en meer van het land vernielde, besloot Cepheus te doen wat Poseidon verlangde. Hij raadpleegde het orakel Ammon dat hem de vreselijke opdracht gaf Andromeda op de klif achter te laten. Ze moest aan het zeemonster geofferd worden. Andromeda werd naakt aan de rotsen vastgemaakt.'

Pieter voelt zijn zus verstijven.

'Arme Andromeda. Hoe onrechtvaardig. Zij kon het toch niet helpen. Zij had niets gedaan,' onderbreekt An haar broer. Ze leeft helemaal met Andromeda mee en is zichtbaar opgewonden.

'Sst, rustig, zusje,' fluistert hij in haar hals. 'Het is maar een verhaal. Je hoeft het niet zo letterlijk te nemen. Op het ogenblik dat Andromeda aan de rots-wand werd vastgekluisterd, kwam Perseus opeens aan-vliegen op zijn paard.'

'Op zijn paard?'

'Ja, Perseus reed op een paard met vleugels.'

'En dan?'

'Hoog boven de wereld kon hij beter zien wat er alle-maal onder hem gebeurde. Plotseling ontdekte hij Andromeda. Hij werd nieuwsgierig en wilde weten wat er aan de hand was. Enkele omstanders zagen in Per-seus een vreemde godheid. Zij vertelden hem het hele verhaal. Dat vond Perseus zo vreselijk dat hij onmid-dellijk aanbood om het koningskind te redden.'

An glimlacht. 'Wou hij haar alleen maar redden door zijn ridderlijke natuur, of was het iets anders?' vraagt ze.

'Jaja, ik voel je al komen, zus. Altijd belust op intriges en romances, is het niet?'

'Hmm. Meisjes hebben daar toch een zesde zintuig voor of heb ik het mis?'

'Jaja, 't is al goed,' lacht hij. 'Het kwam natuurlijk niet alleen door zijn ridderlijkheid en hulpvaardigheid. Feit was dat Perseus bij de eerste aanblik van Andromeda, onmiddellijk verliefd werd op haar. Hij eiste dan ook als prijs voor zijn hulp Andromeda als vrouw. De ouders stemden met het voorstel in, al hadden ze wel iemand anders dan Perseus op het oog. Perseus, geheel overrompeld door zijn gevoelens voor het meisje, zond Cepheus en Cassiopeia, samen met het aanwezige volk terug naar de stad. Hij bleef alleen achter met Andromeda.'

'Hé, slaap je?' Een stoot tegen Pieters voet. Met glinsterende ogen en twee hoogrode wangen staat Lies voor hem. Triomfantelijk steekt ze beurtelings allebei haar voeten in de lucht.

'Geen vuiltje meer te bespeuren,' lacht ze.

De spleetjes van zijn ogen waarin Lies zopas nog gevangen zat, zijn opeens weer helder. Er zit geen Lies meer in. Het zonlicht verblindt hem.

'Komaan, niet luieren, we moeten verder. Het avondmaal roept,' jodelt Paultje die ook even in een andere afmeting tussen hemel en aarde verschijnt.

Versuft kijkt Pieter rond. Tevergeefs probeert hij de herinnering vast te houden. Maar ze ebt weg tot er vanbinnen niets meer overblijft dan een leeg gevoel. Wat had An in hemelsnaam met Andromeda, vraagt hij zich af. Hij zou zoveel willen weten over zijn zus die in de laatste maanden van haar leven zo onbegrijpelijk was geworden. Soms stelde ze van 's morgens tot 's avonds vragen. Maar op die vragen kon hij meestal geen antwoord geven, omdat ze zo verwarrend waren. Soms zweeg An dagen aan een stuk. Dan zat ze onbeweeglijk voor zich uit te staren. Als iemand haar vroeg wat er scheelde, lachte ze haar vreemde lach en zei dat alles goed was, dat ze zich vooral geen zorgen hoefden te maken. Trachtte ze soms op die manier haar eigen verdriet zoveel mogelijk te ontvluchten? Aan de laatste dagen van haar leven, toen alle contact langzaam tussen hen wegglipte, wil hij bewust niet denken. Het maakt hem zo triest en haar zo onbereikbaar, en dat wil hij niet. Nog niet.

Opeens wordt de rust verbroken door een luide gil. Inneke komt op hen toelopen. Ze schudt haar lichaam heen en weer alsof ze door een vreselijk beest is aangevallen.

'Wat nu weer?' zucht meester Bert. Jan en Micky stuiven lachend uit elkaar.

'Jan heeft een beest gevangen,' huivert Inneke. 'Hij wil het in mijn nek stoppen.'

Met een verveeld gezicht loopt meester Bert op de daders toe. 'Kom eens hier, jullie. Laat zien wat je in je handen hebt,' gebiedt hij boos.

Ze schuifelen dichterbij. Op de palm van Jans hand ligt een kleine salamander. Het bruine lijfje gaat snel hijgend op en neer.

'Hé, laat eens kijken,' zegt meester Bert. 'Zulke diertjes zijn bijzonder nuttig.'

Het langwerpige diertje onderneemt verwoede pogingen om te ontsnappen. Zodra de meester het op een steen zet, verdwijnt het schichtig tussen de struiken. Ze zien nog net het tipje van de staart wegglippen.

Juffrouw Van Zeveren kijkt op een afstand toe. 'Die diertjes zijn wel mooi om naar te kijken, maar ik moet er niet aan denken dat zo'n gluiperdje op me kruipt,' zegt ze.

'Maar juffrouw, dan ben ik er toch ook nog!' lacht meester Bert, die het blijkbaar niet onprettig vindt zijn hulpvaardigheid aan het zwakke geslacht aan te bieden.

Op de wangen van juffrouw Van Zeveren verschijnen opeens twee rode vlekken. Haar ogen glinsteren en om haar mond krult een lach.

'Ze is verliefd op Bert!' fluistert Lies in Pieters oor. 'Ik weet het zeker.'

'Wat?'

'Dat ze verliefd is. Dat zie je toch zo. Moet je kijken hoe ze glundert nu hij haar openlijk het hof maakt.'

Die meisjes, denkt Pieter. Voor alles hebben ze een verhaal.

'Ik vind dat ze goed bij elkaar passen,' gaat Lies verder.

Ze kijken toe hoe meester Bert galant zijn hand aanbiedt om de juffrouw over een sloot te helpen. Ze moeten allemaal rond hem komen staan. De meester legt uit hoe talrijke riviertjes in dit gebied uit ontelbare bronnen ontstaan. 'Deze vinden trouwens hun oorsprong temidden van de grote veenmassa's,' legt hij uit.

Zo is er de Gileppe, de Vesdre, de Roer, Trôs Marets die eerst in nauwelijks merkbare depressies stromen om ten slotte op vijfhonderd meter hoogte plotseling dieper te worden. Vaak vormen ze heel diepe valleien. Enkele belangrijke stuwdammen te Eupen, Robertville, Butgenbach en de Gileppe werden gebouwd om een gedeelte van ongeveer driehonderd kubieke meter water vast te houden dat het overschot vormt van de neerslag in het gebied. Het Veen speelt een zeer belangrijke rol in de waterhuishouding. Omdat het een sponseffect heeft, kan het de toestroming naar de rivieren regelen. Het houdt dus een enorme hoeveelheid water vast. Morgen zullen ze de stuwdam van Robertville bezoeken vanwaar een mooie wandelweg rondom Reinhardstein naar het dorpje Waimes vertrekt en waar het riviertje de Warche ontspringt.

'Wonen daar ook spoken, meneer?' vraagt Koen. Hij snoopt uit een grote zak chips. Onverdroten propt hij handenvol in zijn mond waarbij telkens een regen kruimels naar beneden dwarrelt.

'Als het je enigszins kan geruststellen, er wonen inderdaad spoken in Reinhardstein, Koen. 's Nachts doen ze hun harnas aan en lopen ze met rammelende kettingen door de gangen. Misschien wonen er ook wel spoken in ons pension. Dat zou jij eens moeten onderzoeken, vind je ook niet, lolbroek?' ironiseert meester Bert.

Ze trappen lol tot ze onverwachts weer voor het pension staan. Met een langgerekte strijdkreet stormen ze de binnenplaats op, waar de tafels reeds gedekt zijn.

Vier

Omdat het weer meezit mogen ze buiten eten. Mevrouw Fendant heeft voor enorme eierkoeken gezorgd. De boomgaard waarin het festijn plaatsvindt wordt door heerlijke geuren overspoeld.

'Ik voel het water al in mijn mond stromen. Ik lijk zelf wel een riviertje,' glundert Paultje.

Onafgebroken houdt hij zijn ogen op de pannen gevestigd. Het bruine brood is nog warm. In een mum van tijd verorbert hij drie grote boterhammen.

'En nu nog een Mars om de gaatjes te vullen!' roept hij triomfantelijk.

'Paultje, jij zult nog eens barsten,' vermaant meester Bert.

'Ach meneer, u hoeft niet bang te zijn, gelukkig is mijn vel dik genoeg. Maar als er een scheurtje in komt zal ik u dat onmiddellijk laten weten.'

Iedereen barst in lachen uit om de gekke uitdrukkingen van Paultje.

'Eet je niet meer?' vraagt hij aan Pieter die naast hem zit en met moeite zijn tweede boterham naar binnen werkt.

'Met de beste wil van de wereld, ik kan echt niet meer,' zucht Pieter.

'Geen nood. Geef maar aan mij. 't Is zo gepiept. Ik kan er niet tegen als je met eten morst,' murmelt Paultje. Het laatste restje brood schuift al door zijn keel. Als je Paultje ziet eten, krijg je ook trek.

Na het avondmaal is er ontspanning. Achter de boomgaard ligt een voetbalveld. De bal wordt uit de bagageruimte gehaald en meester Bert wordt als keeper aangeduid.

'Waarom moet ik altijd het slachtoffer zijn?' zucht de arme man. Hij is moe van de wandeling, maar hij wil de kinderen toch niet teleurstellen.

'Ziet hij er niet fantastisch uit in zijn rode short,' fluistert Lies. 'Moet je kijken hoe Van Zeveren hem in het oog houdt!' Ze giechelen.

Pieter blijft even toekijken hoe het spel verloopt en verdwijnt dan onopgemerkt naar het einde van het terrein. Hij heeft een gezellig plaatsje ontdekt waar hij gedeeltelijk voor de anderen onzichtbaar blijft. Hij wil even alleen zijn.

'Zouden we niet beter naar huis gaan? Misschien wordt mama wel ongerust?' vraagt An zacht.

Ze ligt tegen Pieters schouder aan en luistert naar het kwaken van de kikkers, verderop in de poel. Het lijkt alsof ze van de wereld afgesloten zijn.

'Vergeet even te ademen, dan kan je de stilte horen,' vervolgt ze zonder zijn antwoord af te wachten.

'Je mag niet vergeten te ademen, want dan ga je dood,' zegt Pieter. Hoe licht voelt haar hoofd tegen zijn borst. 'Staan er nog sterren aan de hemel?'

Daar gaan we weer, denkt hij. Als ze 's avonds een wandeling maken of naar de boomhut gaan, heeft ze het aldoor over de sterren.

39

'Ja,' antwoordt hij.

'Cassiopeia?'

'Ik weet het niet.'

'Zopas vertelde je nog dat ze in het westen stond.'

'Van hieruit kan ik het niet zo goed zien. Je zit een beetje in de weg,' zegt hij.

Ze schuift van hem weg en plant haar beide handen stevig naast zich op het houten plat van de boomhut. 'Zo, nu heb je ruimte genoeg. Nu kun je kijken.'

Hij zucht. Als zijn zus haar zinnen op iets zet, is er geen ontkomen aan.

'Waarom zucht je? Kijk je niet graag naar de sterren om mij erover te vertellen?'

'Natuurlijk wel. Hoe kom je daarbij?'

'Zomaar.'

'Zomaar is geen goed antwoord,' zegt hij. Zijn stem klinkt wat kregelig, alsof het gesprek hem begint te vervelen.

Hij staat recht, wankelt even en probeert zijn evenwicht te herstellen.

'Is er wat?' Haar gezicht staart zorgelijk naar boven. Haar ogen zoeken zijn gestalte.

'Een lichte duizeling, meer niet.'

'Je moet voorzichtig zijn, broer. Als je valt ben ik je kwijt en wie helpt me dan naar beneden?'

Hij komt weer naast haar zitten.

'Misschien wel door Cassiopeia,' grapt hij.

'Ik wil geen Cassiopeia, ik wil alleen maar jou!' Ze roept het. Met een hoge, harde stem, waarvan de echo tegen hen aanbotst.

Hij wacht even, zoekt naar zijn woorden. Hij weet dat als hij nu één woord verkeerd zegt alles in elkaar stort.

'Je kan niet eeuwig bij mij zijn, zus, dat besef je toch?'
'Nu is nog niet eeuwig. Ik wil niet aan morgen denken. Enkel aan vandaag, aan dit ogenblik. Is dat verboden misschien?'
'Nee, natuurlijk niet,' antwoordt hij snel.
'Ik wil nù de kikkers horen kwaken, de krekels horen tjirpen, het ruisen van de wind in de bomen horen. Begrijp je dat?'
'Ja, maar dat wil niet zeggen dat je niet binnen een tijdje misschien een eigen leven zult leiden. Je zult volwassen worden, een jongen leren kennen en trouwen.'
'Denk je dat?'
'Natuurlijk. Je bent mooi en lief. Misschien komt er wel iemand op een gevleugeld paard, net als Perseus.'
'Ik wil geen Perseus, ik wil alleen maar jou! Jij bent mijn wederhelft. Wij bestaan uit elkaar. Vergeet niet dat we negen maanden samen in mama's buik hebben gewoond. En zwijg alsjeblieft over volwassen worden. Ik wil het niet. Ik wil dat alles blijft zoals het is. Niets meer en niets minder!' Pieter zucht. Hij vindt geen woorden meer om nog verder te gaan. Hij bekijkt An. Zoals ze daar in het maanlicht zit, de blonde haren als een wolk rond haar schouders, lijkt ze op een nimf die uit het niets is opgedoken.
'Verdomme!' vloekt hij opeens luid. De wereld rondom hen verstilt.
An verstijft. Ze houdt er niet van als haar broer vloekt. Ze blijft roerloos zitten en durft zich niet bewegen. Ze weet hoe hij soms reageert als hij boos wordt. Dan is er geen houden meer aan. 'Wat is er? vraagt ze zacht.
'Waarom moet jij juist blind worden? Waarom zit er

*juist bij jou iets in je hoofd?' Het is eruit. Hij heeft het
eindelijk kunnen zeggen waar An bij is, ondanks de
waarschuwingen van mama. Zijn ademhaling gaat
snel op en neer. De knokkels van zijn gebalde vuist
komen hard op het houten plat neer. De pijn scheurt
door zijn arm. Maar dat vindt hij juist goed. Pijn, dat
hij tenminste kan voelen dat hij leeft.*

*Ans handen omsluiten zijn hoofd. Haar koele vinger-
toppen glijden over zijn slapen, zijn ogen, zijn wangen.*

'Wat doe je nu? Hou ermee op, zus! Ik wil het niet
meer.'

*Maar ze schenkt geen aandacht aan zijn woorden. Ze
gaat maar door, met langzame draaiende bewegingen.
Dan komt haar stem. Als van heel ver dringt ze tot hem
door.* 'Stil maar, alles komt weer goed.'

Hij voelt de brok woede uit zijn borst wegtrekken.

'Wat gebeurde er met Perseus?' *vraagt ze geheel
onverwacht.*

'Eh, wat?'

'Ja, Perseus, die bleef toch met Andromeda op het
strand achter. Ze waren helemaal alleen. Zoals wij nu.'

*Ondanks zijn verwarring moet Pieter toch lachen om
haar gekke vergelijking.* 'Dat is toch niet hetzelfde.'

'Vertel, broertje,' *dringt ze aan.* 'Je hebt beloofd mij
het hele verhaal te vertellen.'

'Wat ben jij een zeurkous, zeg!'

*Ze moet lachen omdat ze weet hoe ze van haar broer
iets gedaan kan krijgen. Ze kennen elkaar door en door
en hebben voor elkaar geen geheimen. Bij Pieter voelt
An zich altijd veilig. En als ze angstig is, kan hij haar
weer tot rust brengen. Zelfs beter dan mama.*

'Je wacht lang met je verhaal, broertje. Probeer er

maar niet onderuit te komen.' Ze strekt haar arm naar hem uit. Haar vingers raken zijn bovenarm. Zacht glijden ze naar boven, naar zijn hals, daarna over zijn gezicht. Ze trillen bij zijn oogleden. 'Wat ben je opeens ver weg,' zegt ze.

Hij schrikt. Hij houdt er niet van dat ze zulke dingen zegt. 'Ik ben toch vlakbij je, dat weet je toch. Zopas heb je heel andere dingen tegen me gezegd.'

Ze negeert zijn antwoord. 'Ik zou zo graag je gezicht zien. Eén keertje maar. Ik weet niet meer hoe je ogen eruit zien, je neus, je mond, je wangen. Ik kan het alleen maar raden, als ik je aftast, je voel.'

Hij rilt onder haar woorden. Een grenzeloze weemoed komt over hem. 'Ik weet het,' zegt hij zacht. 'Maar zou ik je niet over Cassiopeia vertellen? Dat hadden we toch afgesproken?'

'Oké. Ik luister. Of nee, laat mij eerst vertellen.' *Ze nestelt zich tegen hem aan. Hij voelt dat haar ademhaling weer rustig is.*

'Zo zie ik het,' *begint ze.* 'Perseus, helemaal in de ban van de schoonheid van Andromeda, vlucht met haar naar een verlaten plaats op het eiland. De maan staat groot en helder aan de hemel en alle sterren schijnen op hen neer. Andromeda is verliefd op Perseus omdat hij haar gered heeft van het afzichtelijke monster dat in de diepte van de oceaan leeft. Om Perseus daarvoor te bedanken plukt ze een ster van de hemel en schenkt ze aan haar geliefde.* 'Zolang je de ster bij je draagt, kan er je niets gebeuren,' *zegt Andromeda. Die nacht beloven ze elkaar eeuwige trouw. De maan en de sterren zijn hun getuige.'*

Ze zwijgt, legt haar hoofd in de kom van Pieters hals

en kijkt naar boven. 'Boven ons staat nu ook de maan,' gaat ze verder. 'Net als in mijn verhaal.'

'Kun je nu de maan zien?' vraagt hij. Ze spant zich in, concentreert zich.

'Ik zie enkel een bleke, vage vlek.' Haar stem trilt een beetje, alsof ze het moeilijk heeft om niet te huilen.

'Fijn, zus. Het is tenminste een begin. Je weet dat de dokter heeft gezegd dat het allemaal misschien wel weer goed komt.'

Ze klampt zich opeens aan hem vast. Haar gezicht is heel dicht bij het zijne. 'Ik ben zo bang, Pieter. Soms weet ik niet hoe ik me moet gedragen. Dan is het alsof er afzichtelijke insecten in mij rondkruipen en mij van-binnen geleidelijk oppeuzelen.'

'Dat mag je niet denken. Het is niet zo,' probeert hij haar weer rustig te laten worden.

Ze trilt over haar hele lichaam.

'Zullen we maar naar huis gaan? Het wordt te koud. Er hangt al mist boven de poel.'

'En Cassiopeia?'

'Oh ja, ik was ons verhaal bijna vergeten,' lacht hij.

'Lijkt het een beetje op dat van mij?'

'Niet helemaal. Je moet weten dat Cepheus en Cas-siopeia niet zo blij waren met hun aanstaande schoon-zoon. Ik heb je verteld dat ze iemand anders op het oog hadden. Maar op aandringen van Andromeda vond het huwelijk meteen plaats. Het huwelijksfeest werd echter erg verstoord door de onverwachte komst van Agenor, de tweelingbroer van koning Belos aan wie Andromeda zou worden uitgehuwelijkt. Hij kwam met een gewa-pende troep mannen en eiste Andromeda voor zich op. Het was Cassiopeia zelf die hem had ingelicht.'

'*Haar eigen moeder, hoe kon ze!*' stuift An plotseling op. '*Die Cassiopeia moet wel een verschrikkelijke moeder geweest zijn om haar dochter op die manier te verraden.*'

'*Wat je zegt!*' beaamt Pieter.

'*Onze mama zou zoiets nooit doen.*'

'*Hoe kom je daar nu weer bij?*'

'*Er zijn genoeg moeders die hun kinderen verwaarlozen.*'

'*Ja, jammer genoeg, maar daar hadden we het nu niet over.*' Hij vindt het fijn dat zijn zus zo in het verhaal opgaat. Zo neemt hun gesprek tenminste een andere wending. An zegt soms rare dingen waar hij in het geheel geen raad mee weet.

'*En toen?*' dringt ze aan.

'*Perseus moet dood!*' schreeuwde Cassiopeia. Maar Perseus beet van zich af en velde vele van zijn tegenstanders. Het overwicht was echter zo groot dat Perseus een list moest verzinnen om niet geheel verslagen te worden. Hij greep het Gorgonhoofd waarmee hij eerder het monster te lijf was gegaan. Op dat moment veranderden de overige krijgers in steen. Door zoveel verraad ontstak Poseidon in nog grotere toorn en hij zette Cassiopeia tussen de sterren. Ze werd voor eeuwig vastgebonden in een marktmand die op bepaalde perioden van het jaar ondersteboven draaide, zodat ze er verschrikkelijk belachelijk uitzag. Het was ten slotte Athene die Andromeda's beeltenis in een eervoller sterrenbeeld plaatste. Men beweert dat de sporen van haar ketenen nog altijd op een rots vlakbij Joppa te zien zijn. De versteende botten van het monster werden in de stad tentoongesteld tot een Romeins krijger ze naar Rome bracht. Dat is wat ik ervan weet.'

Het blijft een tijdje stil tussen de beide kinderen, alsof ieder voor zich met het verhaal bezig is en zich tracht voor te stellen hoe Andromeda zich moet hebben gevoeld.

'Vertel me eens, waarom vind jij dat verhaal eigenlijk zo mooi?' verbreekt Pieter als eerste de stilte. 'Het zit zo vreemd in elkaar. En dan die Cassiopeia. Wat een vrouw, zeg! Voortaan zoek ik alleen nog maar Andromeda tussen de sterren. Laten we nu maar naar huis gaan. Mama zal ongerust zijn.'

Hij helpt haar langs de touwladder naar beneden.

'Zit je weer in je eentje te kniezen? Waarom speel je niet met ons mee? Het is zo fijn!'

Pieter knippert met zijn ogen. Lies staat voor hem en kijkt hem afwachtend aan. Uitnodigend steekt ze haar beide handen naar hem uit. Haar ogen schitteren. Haar haren zijn verward door het wilde achtervolgingsspel dat ze zopas hebben gespeeld. Op haar voorhoofd blinken zweetdruppels. Lies is één en al uitbundig leven. Helemaal anders dan zijn zus An, denkt hij. Maar in het hoofd van Lies groeien dan ook geen cellen die er niet thuis horen. In het hoofd van Lies groeit alleen maar het onbevangen spel van de jeugd, pret maken en zoveel mogelijk kattenkwaad uithalen.

'Komaan, slungeltje,' lacht ze. 'Ik ga niet weg voor je met me meegaat!'

Pieter bekijkt haar met half toegeknepen ogen. Hij houdt er niet van als men hem komt storen. Waarom laten ze hem niet met rust?

'Wil je me echt meenemen? Ik ben niet zo'n goede spelpartner als je denkt, hoor. Ik zou de boel maar in het honderd laten lopen, geloof me,' zegt hij.

'Onzin! Je bent juist heel leuk,' dringt ze aan.

'Maar als ik er nou echt geen zin in heb,' pruttelt hij tegen.

Ze gaat naast hem zitten. Vluchtig raakt haar hand zijn arm aan. 'Waarom kruip je altijd weg? Waarom blijf je niet bij ons? Meester Bert heeft beloofd dat we straks een kampvuur mogen aanleggen. En daarna gaan we zingen. Merel heeft haar gitaar meegebracht. Vind je dat niet leuk?'

'Ja, natuurlijk,' antwoordt hij toonloos.

'Nou dan?'

Een flauwe glimlach glijdt rond zijn lippen. Lies is best aardig, dat weet hij wel. Hij mag haar nu niet afwijzen. Ze meent het goed met hem.

Ze schuift een beetje dichterbij zodat haar springerige krullen zijn gezicht kietelen. Ze is helemaal warm geworden van het wild op en neer springen.

'We hebben aan touwspringen gedaan,' zegt ze. 'Het is me voor de eerste keer gelukt een salto te maken zonder de koord te raken.'

'Waw, fantastisch zeg!' Het klinkt niet echt overtuigd. Wat heeft hij aan touwspringen als het hem toch geen moer interesseert?

De meisjes van zijn klas hebben een clubje gesticht onder leiding van de gymleraar. Vorig jaar zijn ze zelfs nationaal kampioen touwspringen geworden.

Pieter vindt het fijn voor het team. Hij bewondert hun volledige inzet, maar hij kan er niet om juichen. Telkens als hij hen in actie ziet, verschijnt Ans beeld voor zijn ogen. En dan heeft hij het opeens verschrikkelijk moeilijk. Hij weet dat hij jaloers is op deze meisjes. Jaloers omdat An nooit aan touwspringen heeft kunnen doen, laat staan dat ze kon deelnemen aan de gymlessen. Het maakt hem zo opstandig. Als hij dan niet oplet en zijn woede de vrije loop laat voelt het vanbinnen alsof hij plotseling onder water belandt en geen lucht meer krijgt. En dat lokt soms een epileptische aanval uit.

Lies legt haar arm om zijn schouder. Hij schrikt. 'Is er iets, Pieter? Je kan het me gerust zeggen, hoor. Daar zijn we toch vrienden voor.'

Ze lacht haar witte tanden bloot. Hij lacht terug. 'Er is niets,' zegt hij dan. 'Tenminste niets dat met jou te maken heeft.'

Ze aarzelt. Ze durft hem bijna niet aan te kijken. 'Heeft het iets met An te maken?'

Hij knikt. Het beeld van Lies wordt wazig. Nu alsjeblieft niet beginnen grienen, denkt hij. Het is altijd hetzelfde met hem. Hij kan het gewoon niet verdragen dat de tranen achter zijn ogen klaar zitten telkens als iemand Ans naam uitspreekt. Hij vindt het verschrikkelijk. Dan komen de vragen. Iedereen moet onmiddellijk weten wat er aan de hand is, terwijl hij juist geen zin heeft om erover te praten.

'Ik wil me niet opdringen, Pieter. Ik wil je alleen maar zeggen dat het soms kan opluchten als je aan iemand vertelt wat eraan scheelt,' gaat Lies verder.

Hij blijft zwijgen. Hij voelt de prop in zijn keel die alsmaar dikker wordt en hem onherroepelijk naar dat verdomde huilen drijft. En hij wil niet huilen. Niet waar Lies bij is.

Het blijft een hele tijd stil tussen hen. Ze horen hun naam roepen. Het geluid van de joelende stemmen komt dichterbij.

'Het is beter dat we ons bij de rest voegen,' zegt Lies zacht. 'Waarschijnlijk zijn ze al een hele tijd naar ons op zoek.'

Zonder iets te zeggen laat hij zich meevoeren tot ze op de gaanderij staan waar alle lichten nu aangestoken zijn.

'Eindelijk zijn jullie er. We dachten al dat jullie vermist waren,' roept Paultje.

Enkele jongens dragen takken aan. Het kampvuur wordt aangestoken. Ze zoeken een plaatsje zo dicht mogelijk bij het vuur.

'Alles oké?' vraagt meester Bert in het voorbijgaan, terwijl zijn vingers even door Pieters haren woelen.

'Alles oké.'

'Waar heb je gezeten?'

'Helemaal achteraan, waar de boomgaard begint. Er staan heel wat struiken. Gelukkig struikelde ik bijna over zijn voeten,' is Lies hem voor.

'Zeg, moet je horen, we gaan aardappeltjes en stukjes spek aan spiesen rijgen en de hele boel in het vuur roosteren!' glundert Paultje. Het water loopt hem al in de mond.

'Paultje is onverbeterlijk,' lacht Pieter. 'Die maakt van alles een feest.'

'Je zou gek zijn als je 't niet doet. Het moet maar niet zo lekker zijn!' sputtert Paultje. De speekselspetters vliegen in het rond.

Pieter is blij dat hij zich door Lies heeft laten overhalen om mee te komen. Anders zat hij daar toch maar in zijn eentje te denken en de dokter heeft tijdens zijn laatste bezoek gezegd dat hij zich niet te veel moet afzonderen. Dat is nergens goed voor.

Onder luid gejuich wordt het vuur aangestoken. Ze klappen in hun handen. Juffrouw Van Zeveren zit dicht bij meester Bert.

'Vanavond zal het spannend worden,' fluistert Lies snel in Pieters oor.

'Waarom?'

'Van Zeveren heeft haar plaatsje al bemachtigd. Moet je kijken hoe meester Bert zich voor haar uitslooft. Hij roostert zelfs haar aardappeltjes. Ze hoeft niets te doen dan ze enkel maar in haar mond te stoppen.'

'Straks kauwt hij ze voor, dan hoeft ze helemaal niets meer te doen!' giert Paultje die alles gehoord heeft. Hij wipt een aardappel van links naar rechts in zijn mond.

Merel neemt haar gitaar en begint te zingen. Helder klinkt haar stem boven het geroezemoes uit. Ze worden er allemaal stil van.

'You are the sunshine of my life' en 'Beautiful people'. Het laatste neuriën ze allemaal mee.

Lies schuift nog dichter tegen Pieter aan, zo dicht dat hij de warmte van haar lichaam voelt.

Ze kijkt hem recht aan en vraagt of hij het naar zijn zin heeft.

Hij knikt een beetje verlegen. Het is de eerste keer sinds die vreselijke dag dat hij zo dicht bij een meisje zit. Haar profiel lijkt opeens heel sterk op dat van zijn zus, zo sterk dat hij het benauwd krijgt.

'Kijk, de maan is nu helemaal rond,' fluistert Lies. 'En de sterren, ze zijn zo helder dat je ze bijna kunt tellen.'

De sterren die An nooit heeft kunnen zien, flitst het

door zijn hoofd. Onbewust zoekt hij het beeld van Cassiopeia, maar hij vindt het niet. Heeft hij trouwens dat sterrenbeeld ooit wel echt gezien? Hij weet het niet. Alles uit het verleden tolt soms zo verward rond in zijn hoofd. En An zelf had het ook altijd maar over die naam. Cassiopeia. Op school heeft hij erover gelezen. En ooit heeft hij die naam wel eens genoemd bij het luidop memoriseren van zijn lessen. Meer niet. An vond Cassiopeia een fantastische naam. Ze werd er gewoon door aangetrokken.

'Hé, dromer,' fluistert Lies in zijn oor. 'Waar denk je nu weer aan? Of tel je de sterren aan de hemel?'

Hij staart voor zich uit. De spiesen met aardappels en spek maken knisperende geluiden in het vuur. Merels stem klinkt er heel zuiver bovenuit.

'Dit is een magische avond,' zegt An. Ze staat voor de boom waarin papa de hut heeft getimmerd. Haar trollenboom. Ze spreidt haar armen wijd open, steekt ze daarna heel traag in een boog boven haar hoofd en laat ze heel langzaam weer naar beneden zakken. Ze maakt deze beweging zeven keer.

'Waarom zeven?' vraagt Pieter

'Zeven is een magisch getal, dat weet je toch,' zegt ze.

'Ja, dat is waar. In de geschiedenisles heeft de leraar het er wel eens over gehad, maar vaak kwam het toch niet ter sprake.'

'Het getal zeven is een hemels volmaakt getal. Het komt veel voor in de bijbel,' zegt An. 'Het is vooral een scheppend getal.'

'Ja, God schiep de aarde in zeven dagen en de

zevende dag koos hij uit om te rusten omdat zijn werk voltooid was,' zegt Pieter.

'Dat niet alleen. Het heeft ook iets te maken met de cyclus van de maand.'

'Hoezo?'

'Een cyclus bestaat uit vier fasen van elk zeven dagen. Zo is zeven het getal dat de ritmen van het leven regeert en het is ook het getal van de volmaaktheid. Er zijn zeven kleuren in het spectrum en een toonladder bestaat uit zeven noten. Vind je dat niet vreemd? Ooit heb ik eens gelezen dat zeven ook in verband wordt gebracht met zeven metalen en zeven klinkers in het Griekse alfabet. De terugkeer van dit getal moet toch iets betekenen. Ik weet het zeker. Ik voél het gewoon.'

'Begin je weer? Ik vind dat je te veel zoekt achter bepaalde dingen,' zegt hij. Hij houdt niet van de geheimzinnige sfeer die door haar woorden wordt opgeroepen.

'Ik zoek helemaal niets achter bepaalde dingen,' protesteert ze. 'Het intrigeert me gewoon.'

'Dat geloof ik graag,' zucht Pieter. 'Wacht, onze leraar heeft eens verteld dat men in de oudheid dacht dat er zeven planeten waren die de gebeurtenissen op aarde regeerden.'

'Ja, dat kan, want men bracht dit in verband met het verhaal van de zeven metalen dat ik je zojuist vertelde. Maar er is nog meer. In de tarot is de zevende kaart de zegewagen, wat op overwinning en triomf slaat. Als je bij dit alles de invloed van de maan voegt, dan krijg je pas een volledig beeld.'

'Slaat je verbeelding niet een beetje op hol?'

Ze lacht haar fijne lach. 'De maan heeft het meeste

invloed op het leven op aarde,' zegt ze. 'Kijk, met mijn handen schep ik nu het maanlicht. Daarna voeg ik er lucht bij. De lucht die door het maanlicht wordt beschenen is magisch, begrijp je? Nu moet jij voor mij komen staan. Je moet heel lang naar mijn ogen kijken en zeggen wat je ziet.'

Waar stuurt ze in 's hemelsnaam op aan, vraagt Pieter zich af. Wat doet ze opeens vreemd. Hij begrijpt haar niet. Maar misschien hoort het bij de vreselijke cellen die in haar hoofd groeien. Zijn ogen worden wazig van tranen. Gelukkig kan An niet zien dat hij bijna huilt. 'Kom voor me staan. Nu,' gebiedt ze.

Hij doet wat ze vraagt. Gaat voor haar staan en kijkt naar haar ogen. Ze heeft ze nu geopend, maar hij weet dat ze hem niet ziet. Telkens als ze de vlek waar zijn hoofd zit probeert te vatten, draaien haar ogen weg.

Ze heft haar handen boven zijn hoofd en laat haar vingers openvallen. De langzame beweging lijkt bijna op een ritueel. Onbewust moet hij aan de film 'Peter Pan' denken, waarin Tinkelbel sterrenstof uitstrooit over de kinderen zodat ze kunnen vliegen.

'Nu loopt de maanlucht over je,' gaat An zacht verder. 'Je bent nu helemaal gezegend. Je zult altijd gelukkig zijn, ook als ik er niet meer ben.'

'Wat bazel je toch allemaal,' zegt hij met schorre stem.

'Ik bazel niet. Ik weet alles, broer. Ik heb je de maanlucht gegeven opdat je nooit meer ziek of ongelukkig wordt. Is dat niet goed?' Nooit meer ongelukkig, denkt hij, ze moest eens weten!

'Wel?'

'Ja, natuurlijk. Maar laten we liever een ander spelletje spelen.'

53

Hij is opeens een beetje bang voor zijn zus. Zoals ze daar voor hem staat, de handen geheven, haar gezicht als een lichtgevende vlek in de duisternis. En dan die verschrikkelijke zin: 'ook als ik er niet meer ben'. Zou ze iets vermoeden? Zou ze soms weten wat haar te wachten staat? Vorige maand heeft ze enkele bijkomende onderzoeken moeten laten doen. Ze kon steeds maar minder zien en daarom was het volgens de dokter beter alles even te controleren. 's Avonds liet mama weten dat An die nacht in het ziekenhuis zou blijven, omdat er de volgende ochtend nog verder onderzocht moest worden. Mama bleef natuurlijk bij haar. Papa vroeg of er iets ernstigs was, maar mama zei dat ze het later wel zou vertellen. Over de telefoon was het te moeilijk. Pieter had stiekem meegeluisterd op het tweede toestel. Hij hoorde aan mama's stem dat er iets niet pluis was met zijn zus. 's Middags, toen mama met An terugkeerde, wist hij onmiddellijk dat er iets ernstigs was. Pieter zag het meteen. Vooral aan mama's ogen, die rode randen hadden van het huilen. Lieve mama, ze probeerde het zo goed mogelijk voor hem te verbergen, maar het lukte haar niet. Dat moest ze toch weten. Daarvoor waren An en hij toch te sterk met elkaar verbonden. Toen gingen mama en papa in het salon zitten. Ze trokken de deur achter zich dicht. Hij bleef met zijn zus in de woonkamer. An zei geen woord en hij durfde niets te vragen. 's Avonds in bed had hij gehuild. Hij vond het zo vreselijk voor haar. Hij herinnert zich weer duidelijk hoe ze onverwachts bij hem in bed schoof, met haar koele vingertoppen over zijn ogen streelde en vroeg waarom hij huilde. Hij kon het haar niet zeggen.

'Ik speel nooit spelletjes, broer. Dat zou jij toch moe-

ten weten,' verbreekt haar stem nu onverwachts de stilte.

'Inderdaad, dat weet ik.'

'Waarom zeg je dan telkens dingen waardoor ik verdrietig word.'

'Het spijt me.'

Ze lacht alweer haar fijne lach. 'Het is oké, hoor. Ik weet wel dat je het goed met me meent. Wat ben je toch een onbeholpen kereltje. Soms heb ik het gevoel dat ik ouder ben dan jij.'

'En toch ben je niet ouder, want we zijn een tweeling. Eigenlijk zou ik wel eens willen weten wie er eerst geboren is.'

'Ik natuurlijk,' zegt ze.

'Jij? En ik dacht...'

'Dat jij het was. Nee, broertje, je zit ernaast. Een tijdje geleden heeft mama het me verteld. Je weet wel, toen ik in het ziekenhuis moest blijven.'

Pieter knijpt zijn ogen dicht en zucht. Daar duikt het verschrikkelijke onderwerp weer op. 'Goed, dan ben jij toch de oudste. Men beweert dat tweelingen zoiets kunnen voelen. Wat denk jij?'

'Ik weet het niet. Misschien wel. Maar er zijn ook tweelingen die niets met elkaar gemeen hebben.' Ze laat haar hoofd achterover glijden zodat haar gezicht door het maanlicht wordt beschenen.

Pieter vindt haar ontzettend mooi. Hij kent geen meisje dat mooier is dan zijn zus. Hij kan het niet goed uitleggen, maar hij heeft altijd het gevoel dat zijn zus tot een andere wereld behoort. Een wereld die boven hen staat. 'Vertel eens,' begint hij zacht, 'ben jij gelukkig met dat tweelingen zijn?'

55

'Hoe bedoel je?'

'Ja, tweelingen zijn is toch iets totaal anders. Ik bedoel, je zit samen negen maanden in je moeders buik om dan opeens naar buiten te buitelen in een wereld die je niet kent en waar je los van elkaar moet leven.'

'Wat heeft dat te maken met je vorige vraag?'

Hij aarzelt. Hij schuift wat dichter naar haar toe en neemt haar handen in de zijne. 'Zou je niet liever alleen geweest zijn. Gewoon zonder mij.'

'Helemaal niet,' zegt ze. 'Ik zou me een leven zonder jou niet kunnen voorstellen.'

'En ik niet zonder jou,' laat hij er aarzelend op volgen. Hij wacht. Zou ze weten waar hij op aanstuurt? Misschien weet ze inderdaad dat er iets mis met haar is en dat ze misschien niet lang meer zal leven.

'Ik heb toch al eens gezegd dat je altijd bij me zult zijn, broertje, ook als ik er niet meer ben.'

'Ja maar, dan zijn we misschien al heel oud.'

'Je hoeft niet oud te zijn om elkaar te verlaten. Het kan ook gebeuren als je nog heel jong bent.'

Die woorden. Hij huivert ervan. 'Bedoel je... door te sterven, of zo?'

'Precies.' Ze zegt het zo nuchter, alsof ze reeds lang alles vooraf heeft uitgestippeld en ze ermee in het reine is.

'Waarom precies?'

'Als je heel veel van iemand houdt en daarmee bedoel ik, zoveel dat je dat gevoel met woorden niet kunt beschrijven, dan kan het toch niet anders dan dat je zelfs na de dood in die ander verder leeft.'

Wat bedoelt ze nu weer? Hij begrijpt het niet.

'Ik denk dat er dingen zijn die boven ons staan, die

*we niet kunnen vatten maar die we wel kunnen voelen,
diep binnen in ons,' gaat ze zacht verder. 'Zoals nu bijvoorbeeld. Ik voel dat de maan mij kracht geeft. Ik voel
haar licht op mijn ogen en ik weet dat het goed is. Maar
boven die maan, boven de wereld met alles erop en
eraan voel ik een grotere kracht. Iets onzichtbaars dat
ons beschermt en ons draagt.'*

Als van heel ver dringen zoemende geluiden tot Pieter
door. Hij schrikt en staart in de vragende ogen van
Lies.

'Wat was je ver weg,' murmelt ze. 'Ik zag het aan je
ogen. Vertel me waar je bent geweest en wat je hebt
gezien.'

'Euh ik ben nergens geweest,' stamelt hij

Verlegen kijkt hij in het ondeugende gezicht van
Lies. An en Lies zouden zussen kunnen zijn, denkt hij.
Of zelfs één en dezelfde persoon. Het is of hij nu pas
beseft hoeveel Lies op zijn zus lijkt. Zijn wangen kleuren. Wat is hij toch een kluns met meisjes!

'Heb je gehoord wat meester Bert gezegd heeft?'
vraagt ze.

'Euh, wat?'

'Nee dus! Meester Bert vertelde zopas dat we morgen een avondspeurtocht gaan doen.'

'O ja? Een avondspeurtocht nog wel.'

'Ja, meteen na het avondeten.'

Lies kan er niets aan doen, maar opeens schatert ze
het uit. Pieter kijkt haar verbaasd aan.

'Sorry,' hikt ze, 'maar je trekt ook zo'n raar gezicht.
Het is net alsof je opeens van een andere planeet hier
terecht bent gekomen.'

Een andere planeet, ze moest eens weten. 'Misschien wel van de maan,' zegt hij.

Ze heft haar gezicht naar de hemel. Het wordt lichter door het maanlicht. Een vreemde glans ligt in haar ogen. 'Wat denk jij van het maanlicht?' vraagt ze.

'Hoe bedoel je?'

'Als de maan helemaal rond is en je haar licht heel duidelijk kunt zien, voel je dan ook de kracht die ervan uitgaat?

Het is alsof Pieter zijn zus hoort praten. Zulke vragen zou An ook gesteld hebben. Tegelijk voelt hij de brok in zijn keel en de tranen die achter zijn ogen prikken. Waarom heeft men An van hem weggenomen? Nooit zal hij het kunnen begrijpen. Nooit.

'Wat is er toch?' De zachte stem van Lies rukt hem uit zijn gedachten. Haar hand ligt warm op zijn knie.

'Eh... niets.'

Waarom zegt hij nu zoiets stoms? Waarom vertelt hij haar niet gewoon over zijn verdriet en dat hij An overal zoekt? Kon hij de klok maar terugdraaien. Maar hij weet dat zoiets enkel mogelijk is in waanzinnige, futuristische verhalen waarin je in een tijdmachine kunt stappen en die je achterlaten met een leeg gevoel.

'Kom jongens, het wordt tijd om naar bed te gaan. We doven het vuur.'

Meester Bert staat wijdbeens voor hen. Hij reikt Pieter en Lies een hand en trekt hen overeind.

Ze sluiten aan bij de rest van de klas. Het vuur wordt met aarde gedoofd.

'Er mag niets blijven smeulen,' zegt meester Bert. 'Vuur kan altijd weer opflakkeren en we moeten vooral voorzichtig zijn.'

Onder luid gejuich doven de laatste vlammen. Een dun sliertje grijze rook kringelt naar de sterrenhemel. Zingend trekken ze gearmd naar binnen.

Pieter slentert achter de sliert aan.

'Zullen we morgen samen op speurtocht gaan?' fluistert Lies nog vlug.

'Hé, geen stiekeme afspraakjes maken,' grapt Paultje.

In de gemeenschappelijke waszaal wordt het pas echt leuk. De tandpasta vliegt in het rond. Tot meester Bert met een boos gezicht in de deuropening staat en iedereen naar zijn kamer stuurt.

Een half uur later kun je in het pension een muis horen lopen.

Vijf

De dag is in alle rust voorbijgegaan. In de voormiddag hebben ze het domein verkend. 's Namiddags hadden ze vrij.

Pieter heeft gezwommen en is daarna op zijn bed gaan liggen. Tevergeefs heeft hij geprobeerd een boek te lezen. Lies is driemaal op zijn deur komen bonken, wat hem ten slotte heeft doen besluiten naar beneden te gaan en in de hal post te vatten tot het startsein voor de avondspeurtocht wordt gegeven. Het gedrag van Lies irriteert hem. Kan ze hem dan nooit eens met rust laten?

Achteloos bladert Pieter in een gids over de streek. Opeens wordt zijn aandacht getrokken door de afbeelding van een statige laatmiddeleeuwse burcht. Onder de prent staat: *Breng een bezoek aan Reinhardstein, de burcht waar u zo in het verleden binnenstapt. Bezoekuren vanaf juni tot september telkens van 14.00 u tot 17.00 u. Groepen na afspraak.*

Er gaat Pieter een licht op. Reinhardstein. Meester Bert heeft er onlangs over verteld. Hij zou de burcht wel eens willen zien. De Middeleeuwen hebben hem altijd al bekoord.

Een bejaarde man daalt de trap af. Hij gluurt even om de hoek, bukt zich om zijn veters te strikken en stapt naar buiten. Pieter heeft hem al eens eerder gezien.

De man intrigeert hem. Vooral de wat bizarre uitdrukking in zijn ogen bezorgt hem koude rillingen. Waarom weet hij niet. Er hangt iets vreemds rond hem, alsof hij zo uit een andere tijd is gestapt.

'Koekoek!' roept Lies bij zijn oor. Ze draagt een knalrood joggingpak.

'Kun jij iemand laten schrikken, zeg,' zucht Pieter.

Lies negeert zijn opmerking. 'Ik hoop maar dat je onze afspraak niet vergeten bent,' lacht ze.

'Onze afspraak... welke afspraak?'

'Je gaat me toch niet zeggen dat je het niet meer weet. We zouden toch samen op avondspeurtocht gaan. De meesten staan buiten al te wachten op het startschot.'

'Gut, ja ook dat nog. Ik was het inderdaad vergeten.'

'Kom op dan, voor we als laatste moeten vertrekken.' Ze duwt hem uit de stoel en trekt hem met zich mee naar de tuin.

'Waarom moeten meisjes toch altijd zo vreselijk druk zijn?' zeurt hij.

'Geen commentaar!' gebiedt Lies lachend.

Ze heeft kuiltjes in haar wangen als ze lacht. Het is de eerste keer dat Pieter het opmerkt. Had An ook kuiltjes in haar wangen? Hij denkt na. Hij weet het niet meer.

'Pieter, niet dagdromen. Luisteren!' sist Lies in zijn oor.

'Jaja, 't is al goed.'

Meester Bert deelt de formulieren uit. Hierop staan vragen die tijdens de speurtocht moeten worden beantwoord. Ze krijgen ook een plattegrond mee van de streek.

'Denk eraan dat jullie bij elkaar blijven,' waarschuwt de leraar. 'Om elf uur verwacht ik jullie hier terug in de hal. Vergeet ook jullie zaklampen niet.'

Ze vertrekken. Er zijn groepen van vier en zes kinderen. Enkel Pieter en Lies vormen samen een ploeg.

'Niet vrijen onderweg!' plaagt Paultje. Hij neemt een grote hap uit een appel. Het sap druipt van zijn kin.

'Hou je mond, pestkop,' lacht Lies. 'Kom Pieter, we zijn ermee weg!'

Een tijdje volgen ze de weg. Naast hen bevindt zich de rotsachtige afgrond. Op verschillende plaatsen is hij begroeid met naaldbomen en struiken.

'Moet je zien wat een prachtig uitzicht!' wijst Lies.

Beneden hen slingert de rivier zich als een lint door het landschap. 'Dat is waarschijnlijk de Warche.'

'Denk je?'

'We kunnen het controleren op de kaart.' Ze knippen de zaklamp aan en zoeken de plaats waar ze zich bevinden. Het is inderdaad de Warche, die in Robertville ontspringt.

'Misschien is het vanaf hier niet zo ver tot Reinhardstein,' oppert Pieter binnensmonds.

'Als ik me goed herinner heeft meester Bert gezegd dat we het kasteel vandaag zouden bezoeken,' zegt Lies.

'Meester Bert zegt zoveel,' gnuift Pieter. 'Maar als je hem er niet onafgebroken aan herinnert, vergeet hij het meteen. Het zal dus voor een andere keer zijn.'

'Ja, dat is waar. Zijn hoofd zit vol gaten. Toch heb ik meester Bert heel graag. Ik vind dat hij de lessen zo boeiend kan maken. En hij heeft zo'n fantastisch mooie stem.'

'Daar gaan we weer. Meisjes vinden toch altijd wel iets speciaal aan een leraar.'

Lies negeert Pieters' plagerige opmerking. 'Ik vind dat die twee zich met elkaar moeten verloven,' vindt ze.

'Euh, wat?' stottert Pieter.

'Dat juffrouw Van Zeveren en meester Bert zich maar moeten verloven.'

'Hoe kom je daarbij? Ze hebben maar één keertje in elkaars ogen gekeken en jij loopt al van stapel alsof ze smoor zijn op elkaar. Laat staan dat ze zich zouden verloven!'

'Uit betrouwbare bron heb ik vernomen dat het inderdaad 'iets meer' is dan gewoon in elkaars ogen kijken,' snoeft Lies. 'Merel heeft het me verteld. Ze heeft hen samen op de gaanderij hand in hand naar de maan zien kijken.'

'Ik dacht dat ik gehoord had dat Van Zeveren binnenkort gaat trouwen?'

'Je weet maar nooit met die dingen,' vervolgt Lies wijsneuzig. 'Ik vind het alleszins een prachtig koppel!'

Pieter kijkt Lies verwonderd aan. Die meisjes toch, altijd maken ze het erger dan het is.

'Je moet zo niet kijken,' vervolgt Lies betweterig. 'Volgens Merel draaiden jufs ogen helemaal op tilt. Bij meneer Bert leek het ook zo.'

Ze buigt zich naar Pieter. Er verschijnen pretlichtjes in haar ogen. Haar wangen blozen. De kuiltjes in haar

wangen verdiepen zich. 'Weet je wat Merel zei,' gie-
chelt ze, 'dat meester Bert zo kon beginnen te huilen
naar de maan.'

Lies schatert het uit. Pieter trekt een verongelijkt
gezicht. Wat kunnen meisjes toch stom doen, denkt hij.
'Hé, je gaat toch niet boos worden om een grapje?'
roept Lies. Haar stem galmt over het dal. De echo
weerkaatst en spat tegen de rotsflank stuk. 'Ooooooo,
Aaaaaaa, Ooooooo, Aaaaaaa,' roept Lies onafgebroken.
De klanken rollen als golven in elkaar over en worden
tientallen keren herhaald.

'Ik hou van een echo,' zegt Lies. 'Het is dan alsof je
nooit alleen bent.'

Pieter meent iets treurigs in haar stem te ontdekken. 'Voel jij je dan soms alleen?'

'Ach, niet echt,' aarzelt ze.

'Is er iets? Vertel het me maar.'

'Sinds oma overleden is, heb ik het wel eens moeilijk,' zegt ze. Haar stem klinkt zo zacht dat ze nauwelijks hoorbaar is.

'Sorry, ik wist niet dat je oma overleden is,' zegt Pieter. Hij moet opeens weer heel sterk aan An denken.

''t Is al een tijdje geleden,' gaat Lies verder. 'In het
begin dacht ik, komaan meid, het loopt wel los, oma
was niet meer zo jong en oude mensen kunnen nu eenmaal op een dag sterven. Maar het liep niet los. Hoe
meer ik probeerde van mijn verdriet los te komen, hoe
meer ik haar miste en hoe moeilijker ik het kreeg met
mezelf. Misschien kwam dat doordat zij mijn lieve-
lingsoma was. Zij ving me op als ik uit school kwam.
Papa en mama hebben het nogal druk met hun werk
en komen soms laat thuis, zie je. Als dat zo was, belde

mama dat ik maar bij oma moest overnachten. Nou, dat vond ik helemaal niet erg. Ik vond het fijn dicht bij haar te zijn. Ze zat boordevol verhalen. Maar ze was vooral heel teder. Ze begreep me. Eigenlijk kon ik beter met oma praten dan met mama. Gek hé.'

'Helemaal niet gek,' zegt Pieter. 'Er zijn nu eenmaal mensen in je leven bij wie je je goed voelt en met wie je ook veel beter kunt praten. Bij mij is dat ook zo.'

Lies kijkt hem aan. In zijn ogen blinken opeens tranen. Ze merkt wel dat hij zich vlug afwendt opdat ze het niet zal zien. Te laat beseft ze dat ze beter niet had kunnen beginnen over oma en haar verdriet. Ze heeft er helemaal niet meer aan gedacht dat Pieter een vreselijke tijd heeft doorgemaakt sinds zijn zus gestorven is. 'Ik had dit niet aan jou moeten vertellen,' verontschuldigt ze zich.

'Waarom? Ik vind het juist fijn dat je er met mij over praat.'

Ondertussen is het laatste straaltje zon achter de bomenrijen verdwenen. 'Kijk eens,' wijst Lies, 'De bomen hebben een gouden randje.'

'Ik wist niet dat jij zo romantisch bent,' lacht Pieter. Onverwachts zwenkt de weg naar rechts en helt naar beneden. Ze stappen stevig door.

Een eind verder loopt een man. Met vlugge passen loopt hij over het pad dat wat lager tussen de bomen verdwijnt. Pieter herkent de man uit het pension.

'Die griezel is er weer,' mompelt Pieter.

'Wat zeg je?'

'Daar. Herken je hem niet? Ik heb hem al een paar keer gezien in het pension. Wat hij daar eigenlijk doet weet ik niet, maar vreemd is hij des te meer.'

'Ach wat, het is een gewone bejaarde man die hier waarschijnlijk met vakantie is.'

'Er is iets met zijn ogen,' gaat Pieter verder. 'Als hij naar je kijkt, word je helemaal kierewiet.'

Lies zucht. Die Pieter heeft ze niet allemaal op een rijtje, zoveel is zeker. 'Je hebt te veel verbeelding,' zegt ze.

Ze wordt een beetje wrevelig. Pieter kan soms verschrikkelijk vervelend zijn.

Ze zien de man weer opduiken. Hij loopt nu een heel eind voor hen uit. Zijn gestalte steekt donker af tegen de lichtere avondhemel.

'Laten we hem achterna gaan, dan weten we meteen wat hij in zijn schild voert,' fluistert Pieter.

'Daar gaan we weer,' zucht Lies. 'Nou, voor mijn part ga je gerust je gang, maar ik doe niet mee. We hebben nog een opdracht te vervullen, of ben je dat al vergeten.'

'De opdracht, ja natuurlijk. Maar dat kan wachten. Weet je wat, we gaan uit elkaar. Ik ga hem achterna en jij sluit aan bij de volgende groep.'

Lies blijft besluiteloos staan. Wat is dit nu weer voor flauwekul. Ze heeft helemaal geen zin om bij de andere groep aan te sluiten. Ze wil samen met Pieter de opdracht voltooien. Ze had er zo op gehoopt als eerste met het juiste antwoord terug te zijn. Met twee loopt alles veel vlotter dan met een hele groep. 'Luister eens,' begint ze met een van woede trillende stem, 'bij mij is het nog altijd 'samen uit, samen thuis'. Ik vind dit ronduit flauw, Pieter.'

'Dat kan wel zijn, maar ik wil weten wat die man in zijn schild voert. Laat me nu toch even.'

'Goed, maar knoop vooral in je oren dat ik het hier niet bij laat. Je hoeft verder geen beroep meer op mij te doen.' Met een ruk draait ze zich om en zet het op een lopen.

'Lies, kom nou, ik bedoelde het zo niet. Kom terug.'

Maar Lies verdwijnt met wapperende haren en wordt door de duisternis opgeslokt. Besluiteloos blijft Pieter even dralen. Ten slotte trekt hij zijn schouders op en zet er stevig de pas in. Hij wil de man zo vlug mogelijk inhalen. De man blijkt echter over een stevig paar benen te beschikken, want het duurt een hele tijd vooraleer Pieter hem tussen de bomen opmerkt. Nu wordt het even opletten. Hij kijkt rond of Lies soms ergens te zien is. Maar de weg ligt er verlaten bij. Ook de anderen zijn nergens te bespeuren. Hij besluit dan toch maar verder te gaan. Een vreemde kracht dwingt hem in de richting van het pad dat enkele meters verder tussen de sparren naar boven kruipt. Hij probeert de man te vinden, die wel in rook lijkt opgegaan. De begroeiing is hier veel dichter. De sparren staan dicht bij elkaar, alsof ze door iemand werden aangeplant. De weg is nu geheel aan Pieters gezichtsveld onttrokken. Er dringt bijna geen licht door van boven. Alles blijft in het donker gevangen. Op een paar kreten van nachtvogels na, is het volkomen stil. Zou het niet beter zijn rechtsomkeert te maken? Misschien kan hij de anderen nog inhalen. Toch blijft hij doorstappen, want er is de dwingende kracht die hij nu heel duidelijk voelt. Wat verderop ziet hij een plaats waar het wat lichter is. Snel klautert hij naar boven. Hij schaaft zijn knie aan een vooruitstekend stuk rots. Pas als hij op het kleine plateau staat, herademt hij. In de opening boven hem duikt de lichtere avondhemel op. Hier en daar verschijnen de eerste sterren. Het plateau is niet groter dan enkele vierkante meter. Pieter tracht zich de omgeving en de plaats waar hij zich bevindt, voor te stellen. Hij gaat op een boomstronk zitten en diept zijn zaklamp en plattegrond op. Tevergeefs probeert hij de plaats op de kaart te ontdekken. Hij kijkt op zijn horloge. Het is bijna negen uur. Gelukkig resten hem nog twee uur om tijdig in het pension te zijn. De zoektocht kan hij wel vergeten. Daar is het nu te laat voor. Hij wil kost wat kost verder naar boven.

'Lies vermoordt me!' mompelt hij.

Een eindje verder dringt het geluid van brekende takken door de stilte. Hij schrikt op. Snel duikt hij weg en zoekt dekking achter een bos varens. Zijn hart klopt onregelmatig. Vaag heeft hij het ongemakkelijke gevoel door iemand te worden bespied. De man, schiet het hem te binnen. Voorzichtig duwt hij de varens weg en gluurt in de richting van het geluid. Maar hij ziet niets. De duisternis hangt hier zwaar tussen de bomen. En weer is er het gevoel dat hij niet alleen is.

'Hallo, is daar iemand?' galmt zijn stem tussen de stammen. Hij schrikt zelf van het geluid. Dan merkt hij een eind van hem verwijderd een gedaante op. Er weerklinkt een bons, geritsel van bladeren en het doffe geluid van voetstappen die zich over het pad haasten.

Ondanks de angst kruipt hij uit zijn schuilplaats en sluipt gebogen naar de plaats waar hij de gedaante heeft opgemerkt. Er is echter niemand meer te bespeuren. Aan zijn voeten ligt een losgerukte konijnenstrik. Er kleeft een beetje bloed aan. Zouden hier stropers zitten? Hij knipt zijn zaklamp aan en zoekt het pad.

Het kronkelt nu in grillige bochten naar beneden. Hij moet zich schrap zetten om niet uit te glijden. Enkele minuten later belandt hij tot zijn grote verwondering in een soort vallei. Het is waarschijnlijk het overblijfsel van een waterval. Tussen de dikke keien kabbelt water en hij hoort kikkers kwaken. Hij licht bij met zijn zaklamp. De kikkers, gestoord in hun avondlijke concert, verdwijnen schichtig tussen de planten.

Pieter gaat op een rotsblok zitten en speurt de omgeving af. Aan de andere kant stort een rivier zich in een diepe vijver. Plotseling gaat Pieter een licht op. Vlug diept hij de kaart op uit zijn zaken. Dit moet de kloof zijn waarin de Rû du Chenoux terechtkomt. Tijdens de wandeling heeft meester Bert erover verteld. Hij moet zich dus op het grondgebied Waimes bevinden, niet ver van de stuwdam Robertville en in de onmiddellijke omgeving van het slot Reinhardstein. Hij zoekt op de kaart. Nu pas ontdekt hij het pad dat hij al die tijd heeft gevolgd. Alleen heeft hij de weg en het pad enkele keren met elkaar verwisseld. Een blij gevoel springt in hem op. Misschien zal deze uitstap dan toch nog iets nuttigs opleveren.

Pieter veert overeind en loopt snel over het geïmproviseerde brugje waarover het pad zich verder omhoog slingert. Steil en onherbergzaam is het hier wel. Na een hele klim duikt de burcht opeens donker voor hem op. Sprakeloos kijkt hij toe hoe ze tegen een machtig stuk rots rust. Een huivering loopt langs zijn ruggengraat en hij krijgt kriebels in zijn buik. Hij herinnert zich uit de brochure dat deze plaats tijdens de

Middeleeuwen de enige doorgang naar de Eifel was. De burcht werd door de rotsen beschermd.

Behoedzaam vervolgt hij zijn weg en probeert ondertussen zijn ademhaling te controleren. De weg loopt nu weer naar beneden tot hij in een diepe kom uitmondt, die met varens en hoge struiken begroeid is. Pieter voelt de hoge vochtigheidsgraad. Weer dringt het geluid van knappende twijgen tot hem door. Zo vlug hij kan duikt hij weg tussen de varens en probeert iets meer van de omgeving te zien. Maar het is donker. Toch onderscheidt hij vaag een gedaante die snel achter de bomen duikt en langs het pad wegglipt. Pieter meent in de gedaante de man met de Sherlock Holmespet te herkennen. Hij blijft niet langer talmen en gaat achter hem aan. Hij moét weten wat die man in zijn schild voert.

Als hij ongeveer een vijftigtal meters van hem verwijderd is, springt de man plotseling naar rechts en verdwijnt. Verbouwereerd staart Pieter naar de lege plek. Weer heeft hij het gevoel dat de man in rook is opgegaan.

'Ik hoop maar dat hier geen echte spoken zitten,' mompelt hij binnensmonds.

Besluiteloos tuurt hij in het rond. Hij knipt de zaklamp aan en kijkt op zijn horloge. Het is ondertussen kwart voor tien. De hoogste tijd om rechtsomkeert te maken als hij op het afgesproken uur in het hotel wil zijn. Als hij echter aan de lange, donkere weg door het bos denkt, krijgt hij kippenvel. Er zit dus niets anders op dan een andere weg te zoeken.

Nu hij zich helemaal alleen waant, voelt Pieter zich vreemd genoeg rustiger dan een poos geleden. Hij had aldoor het gevoel dat hij bespied werd en dat is nu gelukkig verdwenen.

Dan maar verder het pad volgen. Hij vraagt zich af waar hij in 's hemelsnaam zal terechtkomen. Zweetdruppels trekken een spoor van zijn voorhoofd naar zijn hals. Hij trekt zijn jas uit en bindt die om zijn middel. Zo, dat is beter!

Zes

Opeens staat Pieter voor de ingang van het kasteel. Nu begrijpt hij het. Waarschijnlijk is hij in een kring rond de burcht heen gelopen.

Hij spiedt de omgeving af en loopt op het ijzeren hek toe. Als hij dicht genoeg is genaderd zwaait het hek vanzelf open. Er moet ergens een mechaniekje verborgen zijn, want zodra hij binnen is draait het hek weer dicht. Behoedzaam sluipt hij langs de granieten muren van de omwalling. Hij hoort stemmen. Vliegensvlug duikt hij weg achter een stenen fontein. Zijn schuilplaats biedt een voortreffelijk zicht op wat er zich op de binnenplaats afspeelt. Een deur zwaait open. Een lichtstraal tekent zich af op het plaveisel. Er komen een man en een vrouw naar buiten. De vrouw is helemaal in het zwart gekleed. Daardoor kan Pieter haar niet duidelijk zien. De dame blijft even dralen. Haar schrille stem klinkt hoog op tussen de muren. Pieter schat haar ongeveer veertig jaar. De man heeft twee poezen bij zich. Hij vult een paar bakjes met melk en zet ze op het bordes. Onmiddellijk beginnen de poezen aan de melk te slobberen. Dan klimt de dame in een jeep, start de motor en rijdt weg. De grote, ijzeren poort zwiept open. Zodra de jeep door de poort is, zwaait ze weer dicht en valt met een korte klik in het slot. De koplampen van de jeep verlichten hier en daar een gedeelte van de weg en de omgeving. Pieter blijft de wagen volgen tot hij niet meer te zien is. Als het laatste geluid van de motor uitsterft, voelt hij een grote leegte over zich komen. Hij is niet vlug bang, maar de toestand waarin hij zich nu bevindt is niet bepaald fraai te noemen. Hier staat hij nu op een verlaten binnenplaats van een eeuwenoude burcht waarin waarschijnlijk de man woont die hij al die tijd heeft gevolgd. Vragen spoken door zijn hoofd. Waar is hij aan begonnen? Waarom is hij niet bij Lies gebleven? Waarom moest hij zo nodig weten wat de man in het schild voert? Hoe zal hij hier ongezien wegkomen? Er is geen levende ziel te bespeuren, alleen de poezen die nu likkebaardend op het bordes op hun baas wachten tot ze weer worden binnengelaten. Pieters hart bonst tegen zijn ribben. Hij moet zo vlug mogelijk een uitweg trachten te vinden. Zijn ogen zijn nu voldoende aan de duisternis gewend om iets van de omgeving te kunnen onderscheiden. Aan de overzijde van de binnenplaats bemerkt Pieter een hoge toren. Waarschijnlijk is dat de grote noordtoren waarover hij vanmiddag in de brochure heeft gelezen. Vaag ziet hij een donker poortje naast een trap die naar de kantelen leidt.

Pieter sluipt langs de muren, zodat hij ongezien bij de poort kan komen. Voorzichtig stoot hij tegen de zware deur. Ze draait piepend open. Even later staat hij in een muffe ruimte. Jammer dat hij door de duisternis niets van de omgeving kan onderscheiden. Hij durft ook de zaklamp niet aan te knippen uit angst dat hij door iemand vanaf de overkant zal worden opgemerkt. Pieter heeft wel gezien dat de burcht vier torens heeft. Stel dat de man in één van die torens zit, dan is het niet moeilijk om in de duisternis plotseling een licht te zien aanfloepen. Werktuigelijk tasten zijn handen langs de muren. Ze voelen ruw en vochtig aan. Op de tast komt hij langs een smalle wenteltrap in een zaal terecht. Onverwachts moet zijn hand op een schakelaar hebben geduwd, want opeens baadt de ruimte in zacht licht, afkomstig van een immense kroonluchter.

Pieter schrikt en kijkt schichtig rond. Toch is hij blij eindelijk te kunnen zien waar hij is terechtgekomen. Alles wordt opeens een stuk gezelliger. Hij voelt zich ook niet meer zo beklemd. Hij ziet meteen dat dit een soort ridderzaal is waarvan de muren bedekt zijn met prachtige wandtapijten. Doordat hij zich in de toren bevindt, heeft hij het gevoel dat alles rond hem draait. Het is fantastisch. Hij merkt ook de vensterbanken op met kleine glas-in-loodramen. Enkele ramen staan open, waardoor de koele avondlucht naar binnen stroomt. Ze bieden uitzicht op de binnenplaats, de donkere bossen en de rivier die hier vlakbij ontspringt.

Behoedzaam schuifelt Pieter verder. Hij voelt een luchtstroom, die hem vanachter één van de wandtapijten tegemoet komt.

Hij neemt een kijkje. Achter het tapijt vindt hij een doorgang waarlangs hij op een soort gaanderij uitkomt. Pieter vermoedt dat deze gaanderij aansluiting geeft tot de andere torens en zo alle delen van de burcht met elkaar verbindt. Hij is ontzettend trots op zijn vondst. Maar dit neemt natuurlijk niet weg dat hij op dit ogenblik helemaal alleen in een eeuwenoude burcht zit waarvan hij niet weet welke raadsels zij voor hem verborgen houdt.

Een blik op zijn horloge toont dat het ondertussen bijna elf uur is. Waarschijnlijk is iedereen al terug in het hotel en zullen ze hem zoeken. Vooral Lies zal ontzettend ongerust zijn. Lies. Eigenlijk is hij niet aardig geweest tegenover haar. Hij voelt zich schuldig. Maar gedane zaken nemen geen keer, zoals het spreekwoord zegt. De tijd kun je niet terugdraaien.

'Toch wel,' zegt An. 'We kunnen de tijd wel terugdraaien. Als je heel lang naar de maan kijkt en probeert de sterren te tellen, dan in het of de ruimte in je plooit en de tijd stopt.'

'Ja, maar dat is nog wat anders dan de tijd terugdraaien,' werpt Pieter op.

Ans hoofd glijdt achterover, zodat het maanlicht haar gezicht verlicht. 'Waarom kan ik niet zijn zoals de anderen?' zegt ze. 'Waarom moet ik juist anders zijn?'

'Ben je dan anders?'

'Ik voel dingen die anderen niet voelen. Ik weet het zeker,' zegt ze.

'Geloof je in bovenaardse dingen?'

'Bovenaards. Wat is bovenaards? Ik geloof dat er vooraf dingen voor ons worden bepaald die we moeten doormaken om een leven af te maken.'

'Dan geloof je in reïncarnatie.'

'Ik ben er inderdaad van overtuigd dat wij de dingen die we hier op aarde niet kunnen afmaken, zullen doorgeven aan iemand anders. In een ander leven misschien.'

Daar gaat ze weer, denkt Pieter. Altijd komt het op hetzelfde neer. Altijd worden hun gesprekken in die richting geduwd.

Ze begint zacht te neuriën. Opeens wordt ze bijna onbereikbaar.

'*Je gaat weer dromen en daar is het nu niet het moment voor.*'

'*Waarom niet, als we niet meer kunnen dromen dan wordt het leven saai. Ik ben wel verplicht te dromen omdat ik gevangen zit in mijn eigen lijf.*'

Pieter voelt dat het gesprek een andere wending neemt. Hij weet dat ze haar blindheid bedoelt, maar zou ze ook iets meer vermoeden?

'*Waarom zeg je niets meer? Ben je soms bang?*' *vraagt ze zacht.*

'*Ik weet wat je bedoelt, maar ik vind het telkens moeilijk er met jou over te praten. Ik voel me bijna schuldig, omdat ik kan zien en jij niet meer.*'

'*Och, ik heb nooit goed kunnen zien. Al van af mijn geboorte. Mama heeft het me verteld. Daar heb jij toch geen schuld aan. Alleen...*' *Haar stem stokt. Ze wendt het hoofd van hem af.*

'*Alleen wat?*'

'*Ik zou de maan wel willen zien. Nu op dit ogenblik voel ik haar licht op mij. Ik weet wel dat iedereen beweert dat je zoiets nooit kunt voelen, maar bij mij is het anders. Het is alsof de maan in mij is. Het is een heel raar gevoel. Alsof ik boven de grond zweef.*'

Dat zweven, daar heeft ze het al verschillende keren over gehad. Mama heeft het aan de dokter verteld. Die heeft uitgelegd dat het gezwel op bepaalde delen van Ans hersenen drukt en het zweverige gevoel hierdoor kan worden veroorzaakt. Alleen An denkt dat het ergens anders door komt. Nou ja, voor hem is het wel oké, als zij er zich maar goed bij voelt.

'Weet je, soms heb ik zo verschrikkelijk de pest in. Dan zou ik van de wereld willen verdwijnen. Dan vraag ik me af wat ik hier eigenlijk beteken. Niets heeft dan nog waarde of zin voor mij.'

Pieters maag trekt samen. Wat zegt ze toch? Denkt zijn zus soms aan zelfmoord? Het kan. De laatste tijd heeft hij er heel veel over nagedacht. Hij heeft er ook over gelezen, en de laatste statistieken zeggen genoeg. Zelfdoding bij jongeren komt beangstigend veel voor. Hij mag er niet aan denken.

'Natuurlijk heeft alles waarde en zin,' gaat hij zacht verder. 'Jij in de eerste plaats bent waardevol, gewoon omdat je er bent, omdat je samen met ons leeft, met ons praat, ons liefde geeft.'

Ze wacht een hele tijd alvorens te antwoorden. 'En toch... Hoe belangrijk is een mens eigenlijk in dit leven? Ik bezorg iedereen last. Van 's morgens tot 's avonds moet er voor mij gezorgd worden, want alleen red ik het niet.'

Hij zou willen antwoorden, maar weet niet wat hij moet zeggen. Hij begrijpt wel wat ze bedoelt. Een tijdje geleden, toen An met mama op consultatie was in het ziekenhuis, had hij een handdoek om zijn hoofd gebonden zodat hij niets van de omgeving kon zien. Een vreemd gevoel had hem toen aangegrepen. Zo moest het zijn bij An. Zo moest zij zich voelen. Het was verschrikkelijk beklemmend geweest. Ook al was de huiskamer nog zo vertrouwd en wist hij wat er stond, toch wist hij niets terug te vinden. Toen had hij voor de eerste keer *echt beseft hoe hulpeloos An zich moest voelen. Dat ze soms verschrikkelijk agressief en opstandig reageerde, was volkomen normaal. Ondertussen verbeet ze toch maar de innerlijke pijn die aan haar knaagde. Onverwachts legt ze haar handen rond zijn gezicht. 'Kom, laten we over iets anders praten,' zegt ze. 'Straks word je nog droevig en dat wil ik niet.'*

Het beeld van An floept weg. Verdwaasd knippert Pieter met zijn ogen. Op de gaanderij zijn de lichtere vlekken, afkomstig van het maanlicht dat door de boogvormige vensters glipt, duidelijk zichtbaar.

Behoedzaam sluipt hij over de gaanderij. Wat hij vermoedde wordt nu bevestigd. De gaanderij loopt inderdaad in een brede boog rond de burcht.

Voorzichtig schuifelt hij verder. Enkele seconden later komt hij in een soort zitkamer terecht. In de ingebouwde nissen staan halfopgebrande kaarsen waarvan de geur nog in het vertrek hangt. Waarschijnlijk worden ze tijdens de toeristische rondleidingen aangestoken om nog meer de sfeer van vroeger op te roepen.

Door het maanlicht dat door de in lood gevatte ramen naar binnen sijpelt, ziet Pieter dat de kamer zeer smaakvol ingericht is. Het lijkt erop dat ze nog bewoond is. Twee lage zetels staan naast een massief eikenhouten tafel. Pieter sluipt dichterbij. Er gaat een schok door hem heen als hij ontdekt dat er zelfs broodkruimels op achtergebleven zijn.

Vaag klinkt ergens een schurend geluid. Geschrokken duikt hij weg achter de tafel en tuurt met kloppend hart naar de deur. Zou iemand zijn aanwezigheid hebben opgemerkt of verbeeldt hij het zich? Hij houdt de adem in. Maar er verschijnt niemand.

Misschien zijn de kruimels afkomstig van een bewaker die hier zijn honger heeft gestild, gist Pieter. Hij komt uit zijn schuilplaats tevoorschijn en wipt vliegensvlug over het dikke, witte koord dat de afbakening vormt tussen het toeristische en het privégedeelte. Zo kan hij beter de foto's aan de muur bekijken. Eén ervan stelt het vroegere vorstenpaar voor.

Plotseling gaat een tweede schok door hem heen. De man die uiterst rechts op de foto staat, lijkt als twee druppels water op de man die hij een hele tijd gevolgd heeft.

Onzin natuurlijk, zijn verbeelding speelt hem parten. Er lijken wel meer mensen op elkaar.

Toch voelt Pieter zich niet meer veilig. Het is alsof hij niet meer alleen is. Alsof hij door iets of iemand wordt bespied. Achterdochtig en tot het uiterste gespannen, tuurt hij in het rond. Zijn hart bonkt tegen zijn ribben.

Weer dringt hetzelfde schurende geluid tot hem door. Hij probeert zich kalm te houden. Misschien lopen hier wel ratten of muizen rond. Ik moet hier weg, denkt hij bang. Gealarmeerd loopt hij verder. Hij komt door de wapenzaal, waar twee enorme harnassen staan, de kamer van de wachters met een prachtig beeld van Karel de Grote, de bibliotheek en de archiefkamer, en uiteindelijk staat hij in de kapel. De schoonheid ervan overweldigt hem. Het maanlicht zweeft vol naar binnen en verlicht een kribbe met het kindje Jezus waaromheen levensgrote beelden staan.

'Beelden van polychroom hout - niet aanraken alstublieft' staat er in vergulde letters opgeschreven.

Als Pieter knielt om het Kind te bewonderen, hoort

hij een verdacht geluid. Het angstzweet breekt hem uit. Hij verbergt zich zoveel mogelijk achter de kribbe. Een gedaante nadert, ze is nu slechts enkele meters van hem verwijderd. Tot overmaat van ramp voelt hij een vreselijke kriebel in zijn keel. Hij probeert zoveel mogelijk speeksel door te slikken, maar het lukt hem niet. Ondanks de verwoede pogingen barst de hoestbui in alle hevigheid los. Hij is verraden. Onmiddellijk wordt hij in een bundel licht gevangen. Langzaam kijkt hij omhoog en staart in het gezicht van de man uit het hotel die hij al die tijd heeft gevolgd. Zijn donkere ogen boren zich in die van Pieter en kijken hem streng aan. Tot Pieters verwondering heeft de man pantoffels aan zijn voeten en draagt hij een zijden kamerjas. Eigenlijk ziet hij er heel gewoon uit.

'Wat heeft dit te betekenen?' kraakt zijn stem door de stilte.

Het is alsof het bloed in Pieters aders stolt en er een koude vinger in zijn nek wordt gedrukt. Hij wil antwoorden, maar er komt geen geluid uit zijn keel.

'Wel, komt er nog wat van!' Omdat hij blijft zwijgen verplicht de man hem op te staan en hem aan te kijken. 'Heb jij geen tong? Of ben je doof?' kraakt de stem weer. Zijn donkere ogen kijken niet echt boos meer.

'Volg me,' gebiedt hij.

Trillend loopt Pieter achter hem aan. Door een wirwar van gangen en kamers belanden ze ten slotte in een totaal ander gedeelte van de burcht. Overal merkt Pieter plaatjes met 'Privé' op.

De man stapt een kamer binnen. 'Zo, jongeman, laat ik me even voorstellen. Ik ben professor Van Rijn en ik word ook wel eens het spook van Reinhardstein genoemd. Word jij nu maar eens rustig en vertel me wat je hier komt doen.'

'Eh, ik weet het eigenlijk zelf niet,' hakkelt Pieter.

'Je weet het zelf niet. Dat is kras,' krabt de professor zich achter het oor. 'Je logeert in het pension, is het niet? Samen met je vriendjes. Ik heb je enkele keren gezien. Je zat in de hal bij de infostand en je keek me een beetje argwanend aan.'

'Ik vond dat u er inderdaad een beetje vreemd uitzag, met die pet en dat rare kostuum,' probeert Pieter zich een houding te geven.

De professor begint te lachen. Op dat ogenblik wipt één van de poezen op zijn knieën. Zijn dooraderde hand verdwijnt in de vacht van het dier. De poes begint onmiddellijk te spinnen.

'Dit is mijn kater Lancelot. Volgende maand wordt hij veertien jaar. Vind je niet dat hij er nog goed uitziet?'

Pieter bekijkt kater Lancelot aandachtig. Hij vindt dat de poes er inderdaad nog voortreffelijk uitziet. Hij heeft een prachtige rosse vacht en lange witte snorharen.

'Poezen moet je altijd met veel liefde behandelen. Op tijd een dikke, vette muis en ze worden honderd jaar,' lacht de professor. 'En vertel me nu maar eens wie jij bent, want dat weet ik ondertussen nog altijd niet.'

Pieter stelt zich voor en vertelt dat ze met de klas op schoolreis zijn.

'Ha, dat doet me aan mijn eigen jeugd denken. Schoolreizen bestonden toen nog niet, maar toch hadden wij een leraar die interessante natuuruitstapjes met ons maakte. Later is dat uitgegroeid tot echt onderzoek naar de streek en de plaatselijke gewoonten. En dat is wat ik hier nu ook zo'n beetje doe, begrijp je. Onderzoek, het verleden weer tot leven wekken, zullen we maar zeggen. Wat dat rare kostuum en die pet betreft, wel, ik ben altijd vreselijk gek geweest op de verhalen van Sherlock Holmes en Dr. Watson. Ik heb het pak ooit in Engeland gekocht toen ik over die twee rare snuiters een studie maakte. Maar jij dacht natuurlijk helemaal anders over mij, is het niet, jongeman?'

Pieter is inderdaad verlegen omdat hij de vriendelijke, bejaarde man ervan verdacht heeft iets in zijn schild te voeren.

'Het was echt niet mijn bedoeling. Maar u zag er zo vreemd uit, alsof u zo uit een andere tijd was gestapt,' verontschuldigt hij zich.

'En daarom volgde je me?'

Pieter knikt. Hij voelt dat zijn wangen kleuren.

'En je hebt je vriendinnetje in de steek gelaten.'

Dat heeft de professor dus ook gezien. Pieter voelt zich opeens erg schuldig tegenover Lies.

'Het spijt me. Ze zullen nu wel vreselijk ongerust zijn,' flapt hij eruit.

'Of misschien wel niet,' gist de professor. 'Misschien weten ze wel waar je uithangt.' Zijn stem heeft een vreemde, mysterieuze klank. 'Hoe dan ook, je zult hier moeten overnachten. Het is nu toch te laat om terug te keren. En ik heb geen wagen. Maak je maar geen zorgen, morgen brengt Valérie je wel terug.'

'Valérie? Is dat de vrouw die bij u op de stoep stond toen u de poezen melk gaf?'

'Inderdaad. Heb je honger?'

'Een beetje wel, ja. Ik heb sinds het middagmaal niets meer gegeten.'

'Dan gaan we daar nu een mouw aan passen,' lacht de man.

Vliegensvlug verdwijnt zijn hand achter het gordijn. Ergens schelt een bel. Enkele seconden later verschijnt een bejaarde dame in de deuropening.

'Dit is Lucie, mijn huishoudster. In een handomdraai kan zij de heerlijkste gerechten op je bord toveren. Waar heb je trek in, jongeman?'

'Een boterham met omelet is oké. Of iets anders. Maakt niet uit.'

'Komt eraan, meneer,' zegt Lucie.

De professor neemt Pieter mee naar de zithoek, een soort nis waarin gezellige fauteuils staan. Het brede raam biedt uitzicht op de binnenplaats.

'Houd je van kastelen?' vraagt de professor.

'Ja, vooral van de geschiedenis die eraan verbonden is. Toen ik jonger was, bezochten we vaak kastelen.'

'We?'

'Mijn ouders en ik en...'

'En?'

'Eh...niemand,' hakkelt hij. Bijna was hij over zijn zus begonnen. Gelukkig heeft hij zich op tijd kunnen inhouden. An hield veel van kastelen. Het blijft een tijdje stil tussen hen.

'Hé, dromertje!' De stem van de professor dringt tot hem door. Pieter schrikt van de harde klank die hem uit de herinnering rukt en hem terug in de kamer plaatst.

'Is er iets?' vraagt de professor. Pieter ontwijkt de vraag. 'Alles oké dus. Goed, dan gaan we verder met ons gesprek. Je zei dus dat je veel van geschiedenis houdt, wel, hier vind je geschiedenis in overvloed. En tussen haakjes, ik ben maar wàt blij dat je hier bent. Zo heb ik tenminste een fijne avond.'

'Verveelt u zich dan?'

'Soms wel, ja. Ik word een dagje ouder. Maar ik klaag niet. Ik heb genoeg om handen met dit kasteel. Vroeger maakte ik lange wandelingen. Dan bleef ik soms dagen weg. Nu kom ik enkel nog in het pension van mevrouw Fendant.'

'Is het kasteel van u?'

'Zo zou je 't kunnen noemen, maar dat is een lang verhaal. Wil je het horen?'

'Graag.'

Een licht klopje op de deur. Lucie schuifelt geruisloos de kamer binnen en zet het eten op de tafel.

'Tast toe, jongeman,' zegt de professor. 'Eerst en vooral moet je weten dat deze burcht een ruïne was. Tot ik haar ontdekte en haar samen met enkele trouwe vrienden in achttien maanden opbouwde. De mensen uit de omgeving beweerden dat er tovenarij mee gemoeid was. Ze zijn hier verschrikkelijk bijgelovig, zie je, en eerlijk gezegd, als ik het verloop van de hele verbouwing op een rijtje zet, lijkt het soms zo.' De professor pauzeert even en schenkt zich een glas rode wijn in. 'Ook trek?' vraagt hij lachend.

'Nee, bedankt.'

'Had ik moeten weten, natuurlijk. Jij lust waarschijnlijk alleen maar melk... of cola,' gniffelt hij.

'Cola is best.'

'Zie je wel. Ja, dat is dé drank van de jeugd, is het niet? Jammer genoeg kan ik je geen cola aanbieden. Te zoet en te kleverig voor mij. Een glas melk dan maar?'

Pieter knikt. Het is beter de professor zijn zin te geven, anders zal hij nooit het vervolg van het verhaal te weten komen.

De man schraapt zijn keel. 'Waar was ik ook alweer gebleven?'

'Bij de verbouwing.'

'Juist, ja. Je moet weten dat Reinhardstein het enige voorbeeld is van de Rijnlandse burchten die op een rotshoogte van meer dan vijfhonderd meter is gebouwd. Het is bijna onvoorstelbaar dat zich op de plaats waar wij nu zitten, en waar de Rû du Cheneux zich zestig meter dieper in de vallei van de Warche stort, meer dan dertig jaar geleden puin bevond.'

'Maar hoe hebt u zoiets kunnen herbouwen? Dat lijkt me bijna onmogelijk,' zegt Pieter.

'Waar een wil is, is een weg, jongeman, onthoud dat goed. Er zit een beetje geschiedenis aan verbonden. Luister. In 1354 kreeg Renaud van Waimes de toestemming van ene Wenceslas van Luxemburg om een nieuw kasteel te bouwen op een plaats waar neolitische en Keltische overblijfselen gevonden waren en Romeinen en Franken elkaar waren opgevolgd. Na het verval van Waimes kwam het kasteel achtereenvolgens in verschillende handen terecht. Toen Anna van Nassau met Willem van Metternich huwde, belandde het in de Rijnlandse families. Nadien werd het door Frans van Metternich verkocht. De burcht werd verlaten en raakte totaal in verval. Tot ik hem ontdekte. Gezien de belangrijkheid van deze burcht in de geschiedenis vond ik het jammer dat er niets aan werd gedaan, maar dat niet alleen. Ik had over het reliekschrijn van de Heilige Hubertus gelezen, dat in het toenmalige Reinhardstein zou verborgen zijn. Dit verhaal behoort tot de vele mythen die met het slot verbonden zijn. Het liet mij echter niet meer los. 's Nachts kon ik er niet van slapen. Wanneer ik hier kwam ronddolen, voelde ik als het ware verborgen krachten aanwezig. Als ik de uitgehouwen trap in de rots bekeek, voelde ik een huivering langs mijn ruggengraat omhoog kruipen. Ik vroeg mij af hoeveel mensen in de loop der jaren die trap hadden gebruikt en hoeveel geheimen deze trap had zien voorbijgaan. Er was een vreemde dwang in mij om hierover meer te weten. Zo ontstond het idee om het eens zo roemrijke slot zijn ware karakter terug te geven. En ziehier het resultaat.'

'Dat zal wel geen gemakkelijke klus geweest zijn,' onderbreekt Pieter.

'Jongen, je kunt je niet voorstellen hoe we hebben gezwoegd om die stenen uit de vallei naar boven te krijgen, want alles was naar beneden gegleden. We wilden absoluut de oorspronkelijke stenen gebruiken. Aan de hand van oude afbeeldingen hebben wij getracht de burcht zo getrouw mogelijk op te bouwen. Er was echter een grote moeilijkheid die we over het hoofd hadden gezien. Van het indrukwekkende gebouw stonden slechts een paar muren overeind en er waren maar weinig afbeeldingen bewaard. Ik vond echter verschillende etsen uit de zeventiende eeuw die van zeer groot nut geweest zijn. Het waren stuk voor stuk waardevolle getuigenissen die konden vergeleken worden met de overgebleven resten van de burcht. Veilig moet het hier in vroegere tijden wel geweest zijn. Aan de westelijke zijde werd de versterkte burcht beschermd door een zestig meter hoge rots. Aan de voet van deze rots stroomde, en stroomt trouwens nog altijd, de Warche. Alle andere zijden werden door dikke, stevige wallen omgeven. Elke bezienswaardigheid die hier een plaats heeft gekregen, vertegenwoordigt een zoektocht van maanden, soms jaren. In de kapel ligt een oud missaal met Gregoriaanse liederen. Op een dag vond ik het bij een Brusselse antiquaar. De liederen zijn op echt perkament geschreven. Gelukkig kwam ik toen net op tijd, want de man wilde het boek uit elkaar halen om er lampenkappen van te maken. Stel je voor, zeg! Hoeveel waardevolle referenties over onze afstammelingen zouden op die manier vernietigd worden. Ik mag er niet aan denken!' Professor Van Rijn windt zich zichtbaar op. Hij is helemaal in de ban van het verhaal.

De oude dienstbode brengt koffie en voor de professor een cognacje. Voor Pieter liggen er heerlijke pralines op een schaal. 'Ik word hier wel verwend,' fluistert hij.

'Het is je van harte gegund,' glundert de professor. 'Maar laat ik verder vertellen. Toen ik hier 's nachts helemaal alleen wilde blijven, verklaarden de dorpsbewoners mij voor gek. Zelfs de veldwachter kwam mij waarschuwen dat het gevaarlijk was om na zonsondergang op deze plaats te vertoeven. Verschillende hoteliers uit de omtrek boden me zelfs gratis logies aan.'

'Waarom?'

'Reinhardstein zou vervloekt zijn. Er zou een geest ronddwalen die maar geen rust vindt.'

'Zoiets is toch onzin. Geesten of spoken bestaan niet.'

'Ik dacht er toen ook zo over, maar na enkele nachten was ik echter niet meer zo zeker van mezelf. Toen ik de eerste keer hier overnachtte, hoorde ik op een bepaald ogenblik vreemde geluiden. En wanneer ik de uitgehouwen trappen besteeg, was het alsof ik door iemand bespied werd. Geloof me maar, hier zijn soms vreemde krachten in het spel, of zal ik het 'aanwezigheden' noemen.'

Pieter denkt even na. Zijn zus had het soms ook over 'vreemde gewaarwordingen', of 'datgene wat je van boven ontvangt'. Nou ja, hij kan daar niet goed bij. Het is allemaal zo verward.

Met getuite lippen nipt de professor voorzichtig aan zijn kopje. Op dat ogenblik springt de tweede poes op Pieters' knieën. Ze geeft kopjes en snort als een klein motortje.

'Mag ik je voorstellen, dit is King Richard,' zegt de professor plechtig. 'Hij is de broer van Lancelot. Samen trekken ze wel eens op muizenjacht, hoewel dit de laatste tijd wel verminderd is. De ouderdom, zie je.'

Pieter knikt en neemt nog een praline. Lucie komt binnen.

'Zal ik vuur maken, meneer?' vraagt ze. 'Het wordt een beetje vochtig en u bent zo vlug verkouden.' De professor knikt. Lucie rommelt wat met dikke houtblokken. Vrij vlug verspreidt zich een heerlijke warmte door de kamer.

'Zijn er nog andere dingen die u ongewoon vindt?' vraagt Pieter.

'Ach, er is zoveel. Soms is een mens wel genoodzaakt bepaalde vertellingen te geloven. Ik weet wel dat sagen en legenden de verbeelding van mensen aanwakkeren, maar iets van waarheid zit er volgens mij toch altijd in. Reinhardstein zou eigenlijk geen volwaardige burcht zijn als er geen legende aan verbonden was.'

'Is er dan een?'

'Natuurlijk, de legende van de fee Mélusine bijvoorbeeld die onmiddellijk in verband wordt gebracht met de geest van Reinhardstein. Eens was er een man die van zijn ouders een stuk perkament erfde. Het was beschreven met mysterieuze schrifttekens. De man bestudeerde de tekens en kon ten slotte ontcijferen dat hem in Reinhardstein een kostbare schat wachtte, waardoor hij roem en macht zou verwerven. Onmiddellijk toog hij op pad. Op zijn tocht moest hij vele gevaren trotseren. Zo heerste er dat jaar een grote droogte, waardoor weiden en bossen in brand stonden. De man trok echter moedig verder en trotseerde de vlammenzee. Toen hij slechts drie kilometer van het slot verwijderd was, overviel hem een grote vermoeidheid. Toch bleef hij doorzetten. Tot bij het vallen van de avond zijn voeten plotseling in de modder bleven steken en zijn benen langzaam wegzakten in het veen. Met zijn laatste krachten stootte hij een woeste kreet uit, die door twee honden werd gehoord. Samen met een herder zaten zij op wacht. IJlings stormden ze in de richting van het geluid, op de voet gevolgd door hun baas. Gelukkig kwam de herder net op tijd om de man te redden. Na uren zwoegen kon hij de man uit het moeras hijsen. Deze verdween en ging weer op pad naar Reinhardstein zonder zijn redder ook maar één woord van dank te betuigen. Volgens de legende zou hij, staande op een vloersteen op de binnenplaats een zin hebben uitgesproken waardoor de grond onder zijn voeten openscheurde, waarna hij in een kelder terechtkwam. Toen zag hij een draak die door de beeldschone fee Mélusine werd bereden. Zij was de bewaakster van de schat. De man hoefde maar één toverwoord uit te spreken om deze schat te bemachtigen, maar helaas, hij herinnerde zich niets meer. Wanhopig zocht hij in zijn zakken naar het stuk perkament. Vreemd genoeg was het verdwenen, terwijl hij er zeker van was dat hij het al die tijd bij zich had gedragen. Mélusine barstte in lachen uit, waarna een verschrikkelijk geraas losbarstte. De man werd wakker op de stenen van de binnenplaats. Enkele dagen later trof een bosbewoner een lijk aan in de draaikolken van de Warche. Omdat niemand de drenkeling herkende, dacht men aan zelfdoding. Hij werd buiten de muren van het kerkhof begraven. En je vermoedt het al, sindsdien dwaalt er nog altijd een spook rond tussen de ruïnes van de burcht, op zoek naar het geheim van Reinhardstein. Wel, jongeman, wat vind je ervan?'

'Niet mis,' antwoordt Pieter. 'Maar zoals ik al zei, ik geloof niet in legenden.'

'Toch kan er soms wel eens iets van waar zijn,' zegt de professor.

'Ja, maar dan moet je er ook in geloven.'

'Er is zelfs nog meer.'

'O ja?'

'Herinner jij je het missaal in de kapel?' Pieter knikt. 'Men beweert dat er bij het zingen van een bepaalde antifoon tijdens de Paasnacht herhaaldelijk 'bewegingen' waargenomen zijn.'

'Bewegingen?'

'Inderdaad. Hoe de zaak eigenlijk in elkaar zit weet ik niet precies, maar ooit zou een organist 'aangeraakt' zijn, waarna hij op de vlucht sloeg. Er zou soms 's nachts een 'witte vrouw' opduiken. Meerdere getuigen hebben haar gezien.'

'U ook?'

'Tot op heden niet, nee. Maar eens hoop ik met haar in contact te komen.'

'Gezellig is anders,' huivert Pieter. Hij kijkt schichtig om zich heen. Maar er is niets, behalve de langgerekte schaduwen van hun beider lichamen, grillig afgetekend tegen de zoldering.

Van buiten dringen de nachtelijke geluiden tot hen door. Ze staren een tijdlang in de vlammen van het haardvuur. Ergens ver weg klinkt het gehuil van een hond.

'We moeten naar huis, het wordt laat,' zegt Pieter.

'Hé toe, nog even,' zeurt An. 'Het is hier fantastisch.'

Ze zitten in het bootje en luisteren naar het klotsen van het water tegen de steiger.

'Hoor eens, hoe mooi,' fluistert ze. Ze houdt haar hoofd schuin omhoog om het geluid op te vangen.

'Weet je wat ik zou willen? Soms zou ik een vogel willen zijn om heel ver weg te vliegen en heel hoog op te stijgen naar de blauwe lucht.'

'Neem je mij dan met je mee, zus?'

'Natuurlijk, wat dacht je. Ik zou je hier toch zomaar niet achterlaten. Weet je wat, we vliegen samen naar de hoogste top van een berg. Daar moet het heerlijk zijn, vind je ook niet?'

Pieter haalt zijn schouders op. 'Het is hier even goed.'

'Laten we spelen dat we op de hoogste berg zitten. We kijken naar beneden en zien heel diep onder ons bossen en kastelen. We dalen af en lopen van kasteel tot kasteel tot we ergens aankomen en daar overnachten. Het is een grote burcht. Het lijkt op een sprookjeskasteel. De torens

staan zwart afgetekend tegen de lucht. Er is niemand, alleen de zang van de vogels klinkt overal.'

'En welke rol speel ik in dit verhaal?'

'Vanaf dit punt in het verhaal zijn we niet meer samen. Jij bent een ridder. Ik sta op de kantelen en zie je vanuit de verte naderen op een mooie schimmel.'

'Zoals Sinterklaas, zeker?'

'Spot niet, broer! Sinterklaasfeestjes, wat is dat lang geleden, zeg! Toen kon ik nog een beetje zien.'

'Denk er niet meer aan.'

'Jij hebt makkelijk praten. Jij kunt alles zien wat je maar wil.'

'Dat is waar. Maar we hadden net zo'n pret. Laten we nog wat herinneringen ophalen, dat doet goed.'

'Ach, wat heb je er eigenlijk aan. Eerlijk gezegd, ik heb geen zin meer om nog aan vroeger te denken.' Haar stem klinkt mat en gevoelloos.

Wat heeft ze nu opeens, denkt Pieter. Hij vraagt zich af of hij haar door iets gekwetst heeft. Maar hij durft er niet over te beginnen. Zijn zus tuimelt soms van het ene humeur in het andere. Dat moet hij er maar bijnemen.

'Luister eens,' begint hij zacht, terwijl hij zijn arm om haar schouders legt, 'ik weet best hoe jij je voelt. Je weet dat ik het soms verschrikkelijk moeilijk heb met het feit dat ik wel kan zien en jij niet.'

'Ja, en daar komt bij dat ik weet waarom ik niet meer kan zien,' werpt ze snedig op.

Pieter verstijft. Ze weet dus waar die blindheid vandaan komt. 'Hoezo?' probeert hij zich een houding te geven.

'Omdat er iets in mijn hoofd zit dat er niet hoort te zijn. Ik wil het daar niet, maar het blijft er zitten, het blijft maar drukken, altijd op dezelfde plaats en het neemt mijn zicht weg.'

'Ik begrijp je niet, zus.'

'Hou je maar niet van de domme, broertje. Je weet best waar ik het over heb. Denk je soms dat ik niet voel hoe mama erbij loopt? Denk je dat ik niet weet waarom papa mij nooit meer knuffelt en meestal 's avonds het huis uitgaat om te kaarten? Dat deed hij vroeger nooit. Vroeger kwam hij altijd een verhaaltje vertellen voor we gingen slapen.'

'Zijn we daar niet te oud voor geworden, zus?'

'Te oud, kom nou! Ik hou best wel van een verhaal.'

Opeens lopen er tranen uit haar ogen. Hij vindt het verschrikkelijk die starende ogen zonder enige uitdrukking te zien. Hij trekt An tegen zich aan. 'Niet huilen, ik kan er niet tegen.'

'Jij kunt er niet tegen,' murmelt ze. 'En ik dan? Ik moet altijd maar goedvinden wat er met mij gebeurt. Het blinde meisje dat door iedereen moet worden geholpen. Bah, ik baal ervan. Soms verlang ik heel ver weg te zijn en aan niets meer te hoeven denken. Gewoon weg waar niemand is, waar niemand vragen stelt, waar ik gewoon mezelf kan zijn. Eigenlijk kan ik beter dood zijn.'

Pieter schrikt van haar heftige reactie. Hij wordt warm en koud tegelijk. Dit is de tweede keer dat ze het over doodgaan heeft.

'Zeg zoiets toch niet.'

'Waarom? Heb ik soms het recht niet hierover na te denken?'

'Erover nadenken misschien wel, als je er maar niet naar verlangt. Je hoeft je heus niet zo op te winden. Trouwens, wie zegt dat je jezelf niet mag zijn?'

Langzaam wordt An weer rustig door de zachte
woorden van haar broer. Ze vindt hem ontzettend lief.
Waarom wil ze hem soms bewust pijn doen door hem
dingen naar het hoofd te slingeren waar hij geen schuld
aan heeft?

'Het spijt me. Ik bedoelde het niet zo, alleen... het is
allemaal zo verward...'

Zijn maag knijpt samen tot een bal. Hij weet niet
goed meer wat hij moet zeggen. 'Wat bedoel je toch, An?'

Ze heft haar gezicht naar hem op. Weer glijden haar
koele vingers over zijn gezicht. 'Als ik je maar één keer
kon zien,' fluistert ze.

'Misschien... na de operatie, als alles eindelijk achter
de rug is,' zegt hij bijna onhoorbaar.

Ze schudt het hoofd. 'De operatie, ja, misschien...'

'Droom je?'

'Eh, wat?'

'Ik vroeg of je droomt.' Professor van Rijn kijkt Pieter aan. Klokkend gutst de wijn uit de fles. 'Prosit,'
zegt hij, terwijl hij het glas heft.

Eerst cognac, nu wijn, denkt Pieter. Waar gaat dat
eindigen?

'Je hebt nog geen antwoord gegeven op mijn vraag.'

'Oh, ja, juist, dromen... nee, ik droomde niet. Ik
dacht na.'

'Mag ik ook weten waarover je nadacht, of gaat het
me niet aan? Zou kunnen, natuurlijk. Toch intrigeert
het me als jonge mensen veel nadenken. Als ik dat zie
vraag ik me altijd af wat er zich in dat jonge hoofd
afspeelt.'

'Zo erg is het nu ook weer niet,' antwoordt Pieter met

een kleur. 'Trouwens, zo jong ben ik niet. Hoe oud denkt u dat ik ben?'

De professor schiet in de lach. Zijn ogen vernauwen zich tot spleetjes waaromheen ontelbare kraaienpootjes afgetekend staan. Hij is oud, dat zie je zo. Toch zweeft er iets rond hem dat hem jaren jonger maakt. Pieter weet niet wat hij ervan moet denken. Er is iets met de professor, dat voelt hij duidelijk. Maar wat, dat is een andere vraag. Het ene moment lijkt hij van deze tijd, het andere ogenblik lijkt het alsof hij al eens geleefd heeft.

'Jij kan niet ouder zijn dan vijftien,' antwoordt hij.

'Bijna veertien,' zegt Pieter trots. 'Mijn zus An zou nu ook...' Hij zwijgt abrupt. Bijna heeft hij zich verraden. Maar het is te laat. De professor heeft het gehoord.

'Je zus An?'

Pieter slikt. Het suist en borrelt in zijn oren. Hij krijgt bijna geen lucht meer. Een vervelende, dikke brok wringt zich naar zijn keel. De beklemming in zijn borst stijgt. Het is of zijn hoofd gaat barsten. Een ogenblik wordt alles donker voor zijn ogen. Zijn ademhaling gaat piepend. En dan opeens tuimelt alles naar beneden en is het alsof hij in een diepe kuil belandt. Hij glijdt van de stoel en valt languit op de grond. Hevige spasmen gonzen door zijn lichaam. In een waas ziet hij de professor die zich over hem buigt en heel in de verte hoort hij zijn naam roepen.

Als hij weer bij bewustzijn is, ligt hij op de canapé. Professor van Rijn kijkt bezorgd. Lucie reikt hem een glas water aan. Het smaakt een beetje zout, maar het is lekker. Pieter knapt er wonderlijk helemaal van op.

'Wel, wel, jongeman, was me dat even schrikken, zeg.'

'Ik heb waarschijnlijk een lichte aanval gekregen.'

'Epilepsie?'

'Een lichte vorm, ja.' Hij voelt zich nog een beetje suf in het hoofd, maar het gaat alweer.

'Je hoeft je over niets zorgen te maken, hoor, alles komt wel in orde,' gaat professor van Rijn verder. Hij komt op de rand van de canapé zitten. 'En, vertel me nu maar eens wat er aan scheelt.'

De vraag is zo overdonderend dat Pieter niet meteen weet wat te antwoorden. 'Er scheelt niets,' stamelt hij bijna onhoorbaar. De opkomende tranen snoeren zijn keel dicht.

'Kom, kom, ik zie wel dat er iets niet snor zit. Je kunt er best met mij over praten, geen probleem,' dringt de professor aan.

'Het komt allemaal door mijn zusje An,' begint Pieter aarzelend. 'An was mijn tweelingzus.'

'Was?'

'An is dood. Nu bijna een jaar.'

De professor zwijgt. Hij heeft vreselijk met Pieter te doen. Hij merkt wel dat de jongen het op dit ogenblik behoorlijk moeilijk heeft. 'Wil je erover praten? Misschien lucht het op.'

'Als ik aan An denk of over haar praat, doet het zo'n pijn vanbinnen. Ik vind het zo verschrikkelijk dat ze moest sterven. Ik bedoel, ze had toch niemand wat misdaan!' zegt Pieter zacht. Zijn handen trillen.

'Dat begrijp ik. Maar dat is nu eenmaal het leven. Mensen komen en gaan. Wij vragen ons soms af waarom een geliefd persoon sterft, maar we zullen er nooit een antwoord op vinden.'

'Dat is het niet alleen,' onderbreekt Pieter. 'An was zo lief. Ze was altijd met alles tevreden. Ik niet.'

Er glijdt een glimlach rond de lippen van de professor. 'Schuldgevoelens?'

Nijdig trekt Pieter zijn schouders op. Hij heeft opeens geen zin meer er nog verder over te praten. Het haalt allemaal niets uit. Het komt altijd op hetzelfde neer.

'Je hoeft toch geen schuldgevoelens te hebben omdat je zus gestorven is,' gaat de professor vriendelijk verder. Hij merkt wel dat het bij Pieter allemaal nogal hoog zit en dat de bom zo kan barsten als hij ook maar iets verkeerds zou zeggen. 'Die gevoelens zijn heel normaal, hoor.'

'Ja, dat is waar,' aarzelt de jongen. 'Ik kan er alleen niet tegen dat er zoveel slechte mensen rondlopen met wie nooit iets ergs gebeurt. En mijn zus die nooit een vlieg kwaad deed, moest natuurlijk een ongeneeslijke ziekte krijgen.'

'Ik weet dat het moeilijk voor je is om dat te aanvaarden, maar is het niet zo dat wij dergelijke zaken niet in de hand hebben. Je moet de ziekte van je zus niet koppelen aan de slechtheid van bepaalde mensen.'

'Ik weiger gewoon om dat te aanvaarden,' zegt Pieter boos. 'An was mijn liefste zus, een schat van een tweelingzus. Nu, bijna een jaar na haar dood, kan ik haar nog altijd voelen. Soms denk ik dat ze gewoon niet dood is. Dat ze op een dag weer in haar bed zal liggen en dat ik bij haar op bezoek zal gaan.'

'Ging je dan bij haar op bezoek?'

'De laatste weken van haar leven moest ze in bed blijven. Ze kon al een tijdje niet meer lopen, haar spieren waren volledig verzwakt. Ik had de gewoonte met haar in de rolstoel langs de dijk te wandelen. Daar hield ze ontzettend veel van. Waar wij wonen snijdt de Schelde enkele dorpen doormidden. Het is er aangenaam en rustig en ook een beetje geheimzinnig. Maar op het einde kon ze ook niet meer overeind blijven in de rolwagen. De dag voor ze in het ziekenhuis werd opgenomen, heb ik haar tot aan het water gedragen. Voor ze geopereerd werd, wilde ze nog eens het geluid van het water tegen de steiger horen, zei ze.'

Pieters stem verdwijnt in een snik. Langzaam komen de tranen. Hij vindt het vreselijk dat de professor hem ziet huilen. Maar hij kan er niets aan doen. Het is of al het opgekropte verdriet van het laatste jaar ineens een uitweg vindt.

'Huil maar eens goed uit,' zegt de professor begrijpend. Hij heeft meteen gemerkt dat Pieter het ontzettend vervelend vindt dat hij zijn tranen niet kan bedwingen. Hij heeft medelijden met de jongen en wil hem helpen. Hij voelt wel dat de band tussen de twee kinderen heel sterk moet zijn geweest.

'Tja, het is natuurlijk vreselijk, maar je zult er toch mee verder moeten,' gaat de professor voorzichtig verder.

'Dat is het juist,' onderbreekt Pieter, 'ik kan er niet mee leven dat ze er niet meer is. De dokters verklaarden almaar dat het allemaal goed zou komen. Het ging zelfs zo ver dat ze beweerden dat ze na de operatie misschien weer een beetje zou kunnen zien. Met een speciale therapie zou haar zicht stelselmatig verbeteren. Maar er gebeurde niets, integendeel. Ik begrijp gewoon niet wat er is mis gegaan.'

'Misschien wil je het niet begrijpen. Dat kan, weet je.'

'Dat zal wel. Weet u hoe ik zoiets noem? Boekenwijsheid.'

Pieters lichaam trilt helemaal. Wat bazelen volwassenen altijd maar over begrijpen, aanvaarden, berusten. De professor voelt zijn pijn niet. Hij weet niet wat het is telkens de lege plaats aan tafel te moeten zien. Toen An pas begraven was en hij terugkeerde naar school, startte de leraar de les met een minuut stilte en een speech ter ere van zijn zus. Of het nog niet erg genoeg was dat hij die dag door iedereen werd aangestaard alsof hij een van de zeven wereldwonderen was. Hij baalt van al die aandacht en meevoelende menslievendheid. Eigenlijk wil hij niets liever dan gewoon met rust gelaten worden.

'Misschien heb je gelijk,' zegt de professor verder, 'maar soms is boekenwijsheid nodig om onze verwarring rond een bepaald probleem een beetje onder controle te krijgen, zodat alles wat helderder wordt. Soms liggen we met onszelf zodanig in de knoop dat we het niet meer zien zitten. Vertel me eens, was je zus lang ziek.'

'Ongeveer twee jaar geleden begon ze opeens heel slecht te zien. Mijn ouders schrokken daar eigenlijk niet erg van, omdat Ans ogen al sinds haar geboorte nogal slecht waren. Ze waren snel vermoeid. Toen we nog klein waren heeft ze ook een tijdje een bril gedragen, maar dat heeft niet lang geduurd. Tot die rare dag in mei toen we zoals gewoonlijk langs de rivier wandelden. We daalden af naar het vlot waar we altijd naar de boten gingen kijken. Er voer een boot voorbij, maar zij zag hem niet. Ze was opeens vreselijk in paniek en klampte zich aan mij vast. Ze zei dat ze blind werd.'

Pieter houdt even op en pakt zijn zakdoek om zijn neus te snuiten. De herinnering staat weer levendig voor hem, alsof het gisteren pas gebeurd is.

'Ga verder,' dringt de professor aan.

'Ik wist niet wat ik moest doen. Ik was ook in paniek. Ik heb An bij de hand genomen en haar naar boven geleid. Daar viel ze op haar knieën in het gras, zomaar tussen de brandnetels. Ik zei dat ze moest oppassen, dat ze onmiddellijk vol blaren zou zitten, maar ze bleef maar jammeren dat het haar allemaal niets meer kon schelen, dat ze blind was en dat als ze niets meer zou kunnen zien, ze niet meer wilde leven. Het was verschrikkelijk, want ik kon niets doen, niets zeggen om haar op te beuren. Zo zijn we ten slotte naar huis gesukkeld. Mama was natuurlijk in alle staten en belde meteen de dokter. Hij zei dat An naar het ziekenhuis moest voor een onderzoek. 's Avonds ging het veel beter. Alles was nog wel een beetje wazig, maar het ergste was voorbij. Ans zicht kwam terug, maar ze moest wel een bril dragen. Daar bleef het echter niet bij. Stilaan begon ze zich ook raar te gedragen. Soms vergat ze alles. Op school begon het heel slecht te gaan. Tot ze dan uiteindelijk moest thuisblijven omdat ze telkens haar evenwicht verloor. Kort daarna is ze weer in het ziekenhuis opgenomen. Ze had een gezwel dat heel moeilijk kon worden verwijderd.'

De professor heeft al die tijd aandachtig geluisterd. Hij vindt het erg voor de jongen. 'Ik begrijp volkomen hoe jij je voelt,' zegt hij. 'Maar misschien moet je toch proberen haar dood te aanvaarden.'

'An was niet alleen mijn zus, ze was ook mijn beste vriendin,' zegt Pieter. 'Ik kon alles tegen haar zeggen. Nu heb ik niemand meer.'

'En je ouders dan?'

'Dat is toch niet hetzelfde. Trouwens, ik val mama met mijn problemen liever niet lastig. Ze heeft het al moeilijk genoeg. En papa, nou ja, die zie ik meestal niet. Als hij thuis komt, lig ik al in bed. Dus daar heb ik ook niets aan.'

'En die aanvallen, heb je die allang?' vraagt de professor voorzichtig.

'Het is begonnen nadat An begraven is. Dat is de naarste dag uit mijn leven. De zon scheen warm en de vogels floten. En zij lag daar koud in die witte kist, bedolven onder bloemen.'

'Misschien was het juist voor haar dat alles die dag openbloeide. Als het regent, donker en grijs is, is het nog droeviger. Dan hangt er als het ware onheil in de lucht. De vogels hebben voor je zus gezongen, daar ben ik zeker van.'

Pieter heft zijn betraand gezicht naar de professor op. Zijn ogen zijn roodomrand. Lancelot springt op zijn schoot. Bijna onmiddellijk volgt King Richard.

De professor kijkt Pieter lang aan. Een ogenblik ziet de jongen niets anders dan die zachte ogen. Hij wordt er een beetje slaperig van. Het is ook al zo laat.

'Je hebt een fijne zus,' zegt hij.

'Had... ik hàd een fijne zus.'

'Je kunt iemand ook nog hebben na de dood,' gaat de man met zachte stem verder. 'Niet in levende lijve natuurlijk, maar in je hart, daar sterft toch niemand.'

Pieter denkt na over deze woorden. Hij staart in de vlammen van het haardvuur.

'U zult wel gelijk hebben,' zegt hij na een tijdje. 'Maar ik heb het juist zo moeilijk met dat 'niet levend' aanwezig zijn. An en ik waren altijd samen. Wij waren vergroeid met elkaar. Misschien zou het anders zijn als wij gewoon broer en zus waren. Tweelingen zijn betekent toch altijd nog iets meer. En zeker als je een zus hebt gehad zoals An. Als er problemen waren kon zij ze oplossen. Bij haar ging alles vanzelf. Alleen haar eigen problemen kon ze niet aan. Maar die nam ik dan voor mijn rekening. Wij vulden elkaar aan. Er bleef nooit een leegte over, ook al kon mijn zus soms heel verwarrend zijn.'

'Ik begrijp het, jongen. Toch denk ik dat het stilaan tijd wordt om te aanvaarden dat An er niet meer is. Misschien was ze wel ongelukkig geweest als ze langer was gebleven. En dan, je kunt toch nog altijd met haar praten.'

Pieter staart de professor niet-begrijpend aan. Hoe kan hij nu zoiets zeggen?

'Je hoeft me niet zo aan te kijken,' gaat de professor verder. 'Ik weet wat je denkt. Praten met iemand die naar de andere zijde is overgegaan, lijkt misschien moeilijk, maar is het niet. Zoiets kun je oefenen. Je concentreert je en tracht je volledig te ontspannen. In die ontspanning daal je af in jezelf en daar zul je An vinden, waar ze ook is. Je kunt je zus ontmoeten, waar en wanneer je maar wilt. Maar je mag nooit vergeten dat je het zelf moet willen. Daar hangt alles van af. An kan bijvoorbeeld een ster zijn, die je van daarboven beschermt. Of het maanlicht dat over je neervalt. Of een zaadje dat door de wind wordt meegenomen en zich ergens in jouw tuin nestelt om een mooie bloem te worden. Als je gelooft dat zij gelukkig is, zul jij je ook gelukkig voelen. Denk daar maar eens over na.'

De professor staat op en drinkt het laatste bodempje wijn op. Hij trekt zijn kamerjas aan en zucht. 'Jammer,' zegt hij. 'Geen druppel meer. Maar misschien vind ik nog iets in de keuken.'

Opeens is hij verdwenen en ligt Pieter alleen op de bank. Het maanlicht sijpelt door de ramen naar binnen en speelt met het schijnsel van de haardvlammen op de marmeren tegels. Het is warm en gezellig in de kamer. Af en toe vallen Pieters ogen dicht. Hij vraagt zich af waar de professor blijft. Het lijkt een eeuwigheid geleden dat hij is weggegaan.

Zes

Een hele tijd later schrikt Pieter wakker. Hij kijkt verbaasd om zich heen. Hij is dus toch in slaap gevallen. De grote klok in de hoek van de kamer wijst vier uur. Heeft hij zo lang geslapen?

De kamer is helemaal donker en het is er koud. Waar zou de professor zijn? Pieter wordt vreselijk ongedurig. Misschien is er iets gebeurd, is hij gevallen, heeft hij om hulp geroepen en heeft hij niets gehoord.

Ach onzin, zijn verbeelding slaat op hol. Hij glipt van de bank en schuifelt op zijn tenen naar de deur, drukt de klink omlaag en staat in een gang die hij nog niet heeft gezien. Of hij herinnert het zich niet meer.

Behoedzaam loopt hij tot het einde van de gang. Daar is een zware houten deur. Hij vermoedt dat daar de keuken is. Maar het is de keuken niet. Hij komt op een wenteltrap terecht. Een koude luchtstroom komt hem van beneden tegemoet. Vlug loopt hij verder. De poort zwiept open en hij staat plotseling op een soort binnenplaats. Vreemd, deze heeft hij op zijn zoektocht ook niet gezien. Waar is hij toch terechtgekomen? Niets herkent hij van de omgeving. Zijn ogen speuren de donjon af op zoek naar een beetje licht, een glimp van leven. Maar alles is donker. En waar is de professor? Heeft hij alles gedroomd of speelt de man een spelletje met hem? Pieter moet toegeven dat hij hem vanaf het begin gewantrouwd heeft. En toch heeft hij heel veel gehad aan het gesprek dat ze hebben gevoerd.

De nachtlucht doet hem huiveren. Er schuiven enkele wolken voor de maan. Het bos rondom de burcht ligt roerloos onder de nachtelijke hemel.

Pieter krijgt het benauwd. Hoe hij ook zoekt, hij vindt de weg naar de ingang niet meer terug. Op de tast loopt hij in de richting van de uitgehouwen trappen in de rots en daalt voorzichtig naar beneden. Nevelflarden omringen hem. Hij voelt zich ijl in het hoofd. Is dit een droom of bevindt hij zich in een onbegrijpelijke werkelijkheid die hem elke minuut dichter bij een andere wereld brengt?

Plotseling duikt een eind van hem verwijderd tussen de duistere stammen een witte gedaante op. Is dit de geest van Reinhardstein of de fee Mélusine? Zijn gehele wezen verzet zich, maar toch blijft hij de schim volgen. Vaag voelt hij de verende, met naalden bedekte bodem onder zijn voeten. Nu pas merkt hij het pad op dat zich tussen de stammen naar beneden slingert.

Aan het eind ervan draait de gedaante zich naar hem toe. Hij staart haar aan, niet in staat één enkel geluid te maken. Het door blonde haren omkranste gezicht is dat van zijn zus.

'An, ben jij het?' Zijn stem galmt door de stilte.

Het gezicht lacht hem toe. De ogen kijken hem lief aan. Er gaat een wonderbare kracht vanuit, waardoor hij helemaal rustig wordt.

Hij blijft de schim volgen tot ze opeens verdwijnt en

hij weer alleen is. Maar de wonderbare aanraking, de onzichtbare kracht is er nog. Hij heeft die duidelijk gevoeld.

Dan ziet hij de wegwijzerplaat waarvan de punt in de richting van Reinhardstein wijst. Ze hangt een beetje los en maakt piepende geluiden in de aanzwellende wind.

'Ik zal altijd bij jou zijn, Pieter. Ik verlaat je nooit.' Ans heldere stem klinkt vanuit het bed. Haar gezicht licht bleek op vanuit de kussens.

Pieter voelt haar hand in de zijne. Haar glimlach ankert zich aan hem vast. 'Zul je altijd aan mij denken?'

Hij knikt en wil iets zeggen. Maar zijn keel zit dichtgesnoerd van opgekropt verdriet.

'Morgen ben ik genezen,' zegt ze. 'Morgen kan ik je weer zien. Vind je dat niet fijn?'

'Ja, zus,' stamelt hij. 'Rust nu maar. Morgen wordt het een zware dag voor jou. De operatie, weet je wel.'

Aan de andere kant van het bed zit moeder. Ze houdt het hoofd afgewend. Haar huid heeft een vale kleur. Het lijkt wel of niet An, maar zij ongeneeslijk ziek is.

An bloost en haar levenloze ogen schitteren opeens, alsof er sterren in zitten. 'Je zult ze altijd zien, broer.'

'Wat? Wie?'

'De sterren... ze zullen er altijd zijn, waar je ook gaat, en ik zal er één van zijn, speciaal voor jou. En het maanlicht zal er ook altijd zijn.'

'Ach onzin. Wat bazel je nou?'

'Zo is het omdat ik het wil.'

Omdat zij het wilde. Ja, zo is het gegaan, denkt Pieter. Misschien verlangde An juist dat het allemaal vlug voorbij zou zijn zodat ze de vreselijke pijn in haar hoofd niet langer meer zou hoeven te voelen. De pijn die haar langzaam leegzoog en ervoor zorgde dat ze soms totaal onhandelbaar werd.

Pieter kijkt naar de plaats waar de schim tussen de bomen is verdwenen. Maar er is niets meer, behalve wat nevelflarden die zich langzaam tussen de stammen verspreiden.

Kon hij maar lucht worden, of nevel, of wat dan ook, dan zou hij misschien alles kunnen vergeten.

'Wil je dan vergeten?' Geschrokken kijkt hij om zich heen. 'Nee, ik wil niet vergeten,' roept hij driftig.

De echo van zijn stem weerkaatst. Hij blijft ernaar luisteren tot het geluid geheel is uitgestorven en de stilte weer tastbaar wordt.

En toch, diep van binnen beseft hij dat hij liegt. Hij zou juist wél willen vergeten, tenminste, dat wat hij niet begrijpt. Dat waarop hij nog altijd geen antwoord heeft gekregen. Waarom ze het gedaan heeft. Gelukkig heeft hij niets aan de professor verklapt. Gelukkig heeft hij net op tijd zijn mond gehouden. Niemand hoeft te weten hoe het gegaan is met An. Er zijn er al genoeg die op de hoogte zijn van zijn verdriet.

Toch herhaalt hij de zin. Opnieuw en opnieuw tot zijn keel schor is en hij huilt als een klein kind. Het lucht op.

Zeven

'Pieter, Pieter... Waar ben je?' Stemmen galmen door elkaar.

Meester Bert en Lies dragen fakkels en speuren de omgeving af. Juffrouw Van Zeveren en meester Mertens zijn bij de anderen in het hotel gebleven.

Meester Bert is helemaal van streek. Af en toe kijkt Lies hem een beetje angstig aan. Ze durft geen vragen te stellen. De meester is zo al boos genoeg omdat zij en Pieter tijdens de speurtocht uit elkaar zijn gegaan. Hij vindt dat Lies ondanks alles bij Pieter had moeten blijven. Toen er later op de avond een telefoontje kwam met de mededeling dat de jongen veilig in Reinhardstein zat, was de meester enigszins gerustgesteld, al keurde hij wat er gebeurd was niet goed. Er werd wat over en weer gepraat, waarna meester Bert besloot Pieter de volgende ochtend op te halen. Mevrouw Fendant zou hem voeren. Tot een halfuur geleden er weer een telefoontje uit Reinhardstein kwam met de melding dat Pieter verdwenen was. De professor had overal gezocht, maar had hem niet gevonden. En toen had meester Bert haar zomaar gewekt en gezegd dat zij met hem mee moest. Pieter was tenslotte haar vriendje en zij had hem het laatst gezien. Meester Bert had de professor gevraagd een zoektocht te houden maar die vond dit voorstel niet goed. Het was levensgevaarlijk zich 's nachts rondom het kasteel te wagen. Overal lagen verborgen holen en een afgrond was nooit veraf. Er konden ongelukken gebeuren. Slechts enkele brandgangen waren van een degelijke verlichting voorzien, maar dan nog. Het bleef riskant. Daarom had de professor gevraagd de ochtend af te wachten. Maar dat vond meester Bert geen goed idee. Hij wilde onmiddellijk beginnen met zoeken.

Meerter Berts ademhaling is duidelijk hoorbaar in de stilte. 'Ik hoop maar dat we hem vinden,' zegt hij, 'Wat moet ik in 's hemelsnaam tegen zijn ouders zeggen als dat niet zo is. Tenslotte ben ik verantwoordelijk voor hem.'

'Ach, het komt allemaal wel goed. Ik weet het zeker,' probeert Lies hem te kalmeren.

'Je had Pieter nooit alleen mogen laten. Hij deed de laatste tijd zo vreemd,' gaat de meester verder. 'Wat hebben jullie eigenlijk afgesproken?'

'Ik weet het niet zo goed meer,' hakkelt Lies. 'We zijn een heel stuk bij elkaar gebleven, tot er op een bepaald ogenblik een splitsing van de weg was en Pieter kost wat kost die man wilde volgen.'

'De bejaarde man die soms in het pension een koffie drinkt?'

Lies knikt. 'Pieter had hem al eerder opgemerkt en toen wilde hij achter hem aan.'

'Was het die man wel? Heb je hem herkend?'

Lies aarzelt. Ze herinnert het zich niet zo goed meer. Het was ook al bijna volledig donker.

'Lies?' dringt meester Bert ongeduldig aan.

'Er was een man, ja, maar of het de man uit het pension was waar Pieter het altijd maar over had, weet ik echt niet meer. Ik vond het trouwens al vreemd genoeg dat hij het altijd over die man had. Eigenlijk heb ik nooit echt aandacht geschonken aan wat Pieter zei. Hij wilde gewoon achter hem aan, dat is alles!'

'Ja, en waarom dan wel?'

'Pieter vond dat de man er heel bizar uitzag. Hij droeg altijd een Sherlock Holmespet en een vreemd kostuum. Hij wilde weten wat hij in zijn schild voerde.'

Met een zucht richt meester Bert zijn ogen naar de hemel en spreidt zijn armen wijd open.

'Omdat iemand zich een beetje excentriek kleedt, denk je al onmiddellijk dat hij iets in zijn schild voert,' gnuift hij. 'Waarom ben je toch niet bij hem gebleven? Jullie vormden toch een team, of heb ik het mis?'

Meester Bert windt zich zichtbaar op. Hij vindt het allerminst fraai dat hij met dit probleem wordt opgescheept, temeer omdat hij Pieter sinds de dood van zijn zus ook sterk veranderd vindt. Hij hoopt maar dat de jongen geen stommiteiten heeft begaan. Kinderen die met een zelfdoding worden geconfronteerd van iemand van wie ze zielsveel houden, kunnen heel onverwachte dingen doen.

'Ik vond niks mis aan die man,' probeert Lies zich te verdedigen.

Meester Bert negeert haar argument. 'Je herinnert je dus niets meer. Goed, wat nu?' Hij kijkt Lies boos aan.

'U hoeft mij heus van niets te betichten, meneer. Pieter wilde gewoon niet meer met mij verder en ik vond het onverantwoord om nog langer achter die rare snuiter aan te lopen. We spraken af dat we elkaar bij de volgende splitsing zouden ontmoeten, maar het is helaas anders gelopen.'

'Jaja, 't is al goed. Het enige wat we moeten doen is zo goed mogelijk rondkijken. Misschien is Pieter inderdaad naar de professor op zoek gegaan nadat hij wakker werd en zag dat iedereen weg was.' Zijn stem klinkt opeens niet meer zo agressief en beschuldigend.

Zwijgend stappen ze verder. Het pad is zo smal, dat ze achter elkaar moeten lopen.

Laat Pieter toch niets overkomen zijn, denkt Lies. Ze zou hem willen helpen met zijn problemen. Maar hij blijft zo gesloten en afstandelijk en zij durft niet veel tegen hem zeggen uit angst zijn gevoelige plekjes te raken.

Naarmate ze vorderen, neemt haar angst toe. Telkens duikt Pieters gezicht tussen de donkere struiken op om dan weer als een zeepbel uit elkaar te spatten.

Ik moet iets doen, denkt ze. Zo wordt het niets. Ongemerkt vertraagt ze het tempo zodat ze een beetje achterop raakt. Ondertussen houdt ze meester Berts rug nauwlettend in het oog. Als de weg onverwachts een lichte bocht maakt, grijpt ze haar kans en duikt snel weg tussen de struiken. Ze heeft een paadje ontdekt dat steil naar beneden loopt. Ze moet helemaal met haar bovenlichaam achterover leunen, anders loopt ze kans voorover te tuimelen. Het donker van de nacht ligt nog steeds gevangen tussen de dennenbomen. Gelukkig heeft ze de toorts bij zich, zo wordt de bodem nog een beetje verlicht. Ook dringen hier en daar reeds lichtere flarden hemel tussen de boomkruinen. Straks zal het ochtend zijn.

111

Even later belandt Lies in een soort kloof. Het ruikt er naar humus en beregende planten. De sterke vochtigheidsgraad beklemt haar. Ze vermoedt niet dat ze zich in de vallei van de Warche bevindt, waar Pieter gisterenavond ook heeft gestaan.

Besluiteloos tuurt ze om zich heen. Metershoge varens verdringen elkaar tussen de donkere stammen van de naaldbomen. Het geruis van water trekt haar aandacht. Nu pas bemerkt ze het smalle lint van de rivier, dat zich naar beneden stort. Ze staat met open mond te kijken. Zoiets moois had ze niet verwacht. Moeizaam begint ze aan de steile klim die haar naar de achterkant van de burcht leidt. Sprakeloos staart Lies naar de donkere mastodont waarvan de donjon zich majestueus naar de lichter wordende hemel verheft. Ze trekt zich los uit de betoverende kracht die ervan uitgaat en vervolgt haar weg. Een tijdje later bereikt ze de weg die langs de rivier loopt. Soms maakt het water vreemde, gorgelende geluiden die haar kippenvel bezorgen. Maar ze zet door. En dan is er opeens het piepende geluid van losse scharnieren. Haar hart maakt een paar buitelingen. In de wegtrekkende nevel ziet ze de bewegende wegwijzer en ietwat verderop, gedeeltelijk verscholen tussen het struikgewas, een vormeloze, ineengedoken massa. Behoedzaam sluipt ze dichterbij. Haar hart bonkt tegen haar ribben. 'Verdorie, het lijkt wel een mens,' sist ze tussen haar tanden. Ze houdt de toorts hoger zodat alles duidelijker zichtbaar wordt. Met een schok herkent ze Pieters anorak. Allerlei gevoelens overspoelen haar. Ze kan bijna niet ademen. Een dikke brok nestelt zich in haar keel. Ze loopt op hem toe en knielt bij hem neer.

'Pieter,' fluistert ze met onvaste stem. Haar arm schuift voorzichtig onder zijn hoofd. Met haar vrije hand geeft ze lichte tikjes tegen zijn wang. Eindelijk opent hij de ogen en kreunt.

'Gelukkig, je leeft,' zucht ze.

Verbaasd staart hij in haar ogen. De eerste seconden weet hij niet waar hij is.

'Lies?' stamelt hij onzeker.

'Ik ben zo gelukkig dat je tenminste ongedeerd bent. Nadat je gisteravond niet meer terugkwam, brak er natuurlijk paniek uit. Maar toen kregen we een telefoontje van het kasteel. De professor zei dat je ongedeerd was en bij hem bleef. Meester Bert zou je vanochtend gaan zoeken, tot er een tweede telefoon van het kasteel kwam. Toen was de meester niet meer te houden. Hij werd verschrikkelijk ongerust. We hebben toen besloten jou te gaan zoeken. Wat ben ik blij dat we je gevonden hebben.'

Wat bazelt Lies nu allemaal? Pieter kijkt haar met vermoeide ogen aan. Hij kan niet goed nadenken. Hij heeft bonkende hoofdpijn en zijn lichaam is verkleumd tot op het bot.

'Heeft de professor gebeld?' vraagt hij. Zijn stem klinkt heel zwak.

'Ik vermoed van wel,' antwoordt Lies. 'Het kan ook iemand anders geweest zijn, maar het telefoontje kwam in ieder geval van het kasteel.'

'Goddank,' fluistert Pieter. 'De professor bestaat dus echt. Ik dacht al dat ik alles gedroomd had.'

Verwonderd kijkt Lies haar vriend aan. Maar ze zegt niets. Ze beseft wel dat hij nog altijd in de war is.

'Weet je wat, ik roep onmiddellijk meester Bert,'

lacht ze. 'Die zal ondertussen wel ontdekt hebben dat ik niet meer braafjes achter hem loop.'

Lies wipt overeind en zet haar handen als een toeter aan haar mond. Ze roept zo hard ze kan.

Even later, een heel eind van hen vandaan, dringt meester Berts antwoord tot hen door.

''t Is oké, hij heeft het gehoord,' zucht Lies. 'Nu is het enkel nog een beetje wachten tot hij hier is.'

Ondertussen is Pieter overeind geklauterd. Hij voelt zich nog een beetje duizelig. Lies bekijkt hem argwanend. Hij ziet er zo pips uit. 'Zeg eens, er is toch niks ernstigs gebeurd?'

'Hoe bedoel je?'

'Ja, je bent toch niet aangevallen of zo. Dat zou kunnen.'

Hij schudt het hoofd. Op dat ogenblik verschijnt meester Bert tussen de bomen. Onmiddellijk overstelpt hij Pieter met een hoop vragen, maar de jongen is te verward en te moe om te antwoorden. Liefst zou hij onmiddellijk in bed kruipen. 'Goed, morgen dan maar,' zegt meester Bert.

Hij diept zijn GSM-toestel uit zijn jaszak op en toetst het nummer van het pension.

Acht

Intussen heeft mevrouw Fendant voor een stevig ontbijt gezorgd. Pieter valt op de boterhammen aan als een wolf. Hij lijkt wel uitgehongerd. Meester Bert besluit wijselijk zijn mond te houden en hem geen vragen te stellen. Toch is hij niet gerust over de hele zaak. Hij moet er het fijne van weten.

Knikkebollend zit Pieter voor hem aan tafel, met de kop warme chocola tussen zijn vingers geklemd. De jongen kan zijn ogen amper open houden.

'Kruip nu maar vlug onder de wol,' zegt de meester, 'anders gebeuren er nog ongelukken. Dat ga ik trouwens ook doen.'

Ze wensen elkaar welterusten voor wat er tenminste nog van de nacht overblijft.

Dan wordt het weer stil in het pension. Met de armen onder zijn hoofd ligt Pieter in bed. Hij staart naar de zoldering en denkt aan professor Van Rijn. Telkens duikt het beeld van de bejaarde man voor hem op. Het is of hij zijn rustgevende stem hoort. Pieter begrijpt nog altijd niet wat hem overkomen is. Ze hadden het zo gezellig samen, dat heeft hij duidelijk gevoeld. Maar toen was de man opeens verdwenen.

115

Nu hij aan alles terugdenkt, lijkt het of hij de professor nooit heeft ontmoet. Erger, het is of hij nooit met hem samen in die knusse salon heeft gezeten en over An heeft gepraat. Meer dan daarvoor mist hij haar. Nu hij eindelijk over haar met een vreemde heeft durven praten, is er veel bij hem losgeweekt. De professor heeft zoveel troostende, wijze woorden gezegd en hij moet toegeven dat hij er zich op een gegeven moment door gesterkt voelde. Hij weet wel dat hij An nooit meer zal terugzien, maar vaag, heel diep vanbinnen, heeft hij het gevoel of zij er nog is, bijna of ze binnen in hem zit. Kon hij dat ene vreselijke maar begrijpen. Nu vindt hij het eigenlijk een beetje jammer dat hij niet alles aan de professor heeft verteld.

Ineens moet hij weer denken aan de witte gedaante die hij in het bos is gevolgd. Zou het mogelijk zijn dat het zijn zus was die hem de weg heeft getoond? Misschien tracht zij hem op een of andere manier te beschermen of met hem in contact te komen. Hij herinnert zich één van hun vele gesprekken.

'Ik zal er altijd zijn, waar je ook gaat, broer.' Ans fijne stem vermengt zich met het ruisen van de bomen. Zoals gewoonlijk zitten ze bij het water en luisteren naar de geluiden van de stroom. De laatste tijd wil An niets anders meer dan gewoon bij het water zitten en luisteren. Daar wordt ze rustig van.

'Waar heb je het over?'

'Heb je me niet goed begrepen? Ik zal er altijd voor jou zijn. Dat is toch duidelijk.'

'Je praat of je morgen al dood gaat,' zegt hij zacht.

Ze heft haar hoofd schuin naar hem op. Haar ogen

dwalen telkens af. 'Morgen zou te vroeg zijn. Maar het zou kunnen, geef toe.'

'Ik hou er niet van als je zo praat.' Het blijft een hele tijd stil tussen hen.

'Beloof me dat je me nooit zult vergeten als ik er niet meer ben,' zegt ze dan opeens. Hij schrikt van haar woorden. 'Je bent zo kil vanbinnen,' gaat ze verder.

'Kil?'

'Ja, in je hart. Je hart is koud. Ik bedoel, je voelt wel warm aan, maar dat is slechts de buitenkant, de schors. Vanbinnen is er geen warmte.'

'Dat is niet waar. Ik ben altijd warm vanbinnen. Toch voor jou.'

'Vandaag niet. Ik voel het.'

'Hoe kom je daarbij?'

'Spreek me niet tegen. Je weet dat het je toch niet lukt,' onderbreekt ze hem.

'Goed. Ik ben vandaag koud. Kun jij me dan weer warm maken?'

'Dat kan ik,' lacht ze. Wat is ze mooi, denkt hij.

'Ik hoor veel meer dan het klotsen tegen de steiger,' gaat ze verder.

Pieter is gewoon aan het van de hak op de tak springen. De vreemde kronkels in haar hersens zorgen ervoor. Hij antwoordt niet.

'Ik hoor de ziel van de rivier, telkens opnieuw.'

'En wat vertelt die ziel?'

'Oh, van alles. Je kan het niet met woorden uitdrukken. Je kan het alleen maar voelen met alles wat in je is.'

'Zo.'

'Je vindt me waarschijnlijk weer ontzettend vreemd

of gek, maar het is zo. Ik voel wat er diep op de bodem van de rivier gebeurt. Als ze rustig is, dan is ze gelukkig. Maar als de wind er woest overheen strijkt, bloedt ze. Ze weent dan. En dat wenen voel ik, zoals ook haar gelukkig zijn.'

Pieter begrijpt niet zo goed wat zijn zus bedoelt, maar doet toch alsof hij haar uitleg volkomen normaal vindt.

'En hoe voelt de rivier zich nu?' vraagt hij.

Ze aarzelt. Een rimpel verschijnt tussen haar wenkbrauwen. Pieter merkt dat An zich nu volledig concentreert op de geluiden van de stroom.

'Vandaag is het niet zo duidelijk. Ik denk dat ze niet echt gelukkig is, maar ook niet echt ongelukkig. Een beetje tussenin. Misschien voelt ze zich wel zoals ik.'

'Ja?'

'Ik voel me ook een beetje tussenin. Het ene moment wil ik lachen, het andere huilen. Begrijp jij zoiets?'

'Ja, natuurlijk,' zegt hij naar waarheid.

'Noemt men zoiets niet melancholie?'

Hij tuurt een tijdlang naar de schaduwen die over het water glijden. De maan is tevoorschijn gekomen en weerspiegelt zich in het wateroppervlak. 'Melancholie, dat zou kunnen, ja.'

'Het geeft een berustend gevoel vanbinnen. Je bent mijlen ver van iedereen verwijderd en toch sta je niet vijandig tegenover anderen. Diep in je zit iets dat eruit wil, maar je kunt het niet verwijderen. Eigenlijk is het een heel zacht en lief gevoel. Gek hé.'

'Hoe bedoel je?'

'Ik kan het niet goed uitleggen, maar je zou het hiermee kunnen vergelijken: Ik weet dat er met mij iets is dat er niet hoeft te zijn. Ik weet ook dat ik op een dag zal doodgaan, en toch ben ik hiervoor op niemand boos. Ik bedoel, soms is mama zo verdrietig omdat ik ziek ben. Dan weer wordt ze ontzettend woedend en heeft ze zichzelf niet meer in de hand. Dan krijst en tiert ze en ramt haar knokkels tegen de muur aan flarden. Als ze dergelijke uitbarstingen heeft, word ik bang en vraag me af wat voor zin het heeft om jezelf te pijnigen om iets waar niemand schuld aan heeft.'

Ans woorden maken inkervingen in zijn ziel. Hoe kan ze er op die manier over denken? Zijn lichaam tintelt alsof hij heel lang in de kou heeft gelopen. Hij begrijpt het niet.

'Word je nooit eens opstandig? Neem jij altijd alles zoals het je wordt voorgeschoteld?'

'Wat kan ik doen? Noem mij één verdomd alternatief waardoor ik de situatie kan omdraaien?' roept ze. Haar stem snijdt schril door de stilte. Haar ademhaling gaat nu snel.

'Stil maar, zus, wind je alsjeblieft niet op,' zegt hij met trillende stem.

An moet zoveel mogelijk alle opwinding vermijden, heeft de dokter gezegd. Opwinding is niet goed voor de cellen in haar hoofd. Pieter kan zichzelf wel slaan. Hij is te ver gegaan en dat weet hij.

Langzaam herwint An haar kalmte. Ze schuift wat dichter naar hem toe. 'Laten we alsjeblieft geen ruzie maken. Zeker niet om mij. Ik wil zoiets niet. Natuurlijk vind ik het verschrikkelijk wat er met mij gebeurt. Ik zou ook liever met vrienden en vriendinnen ravotten, naar school gaan, studeren wat ik graag studeer. Ach, er is zoveel dat ik zou willen. Maar wat baat het als ik hierover ga zitten kniezen en elke dag jullie het leven *nog moeilijker maak. Het is zo al droevig genoeg. Er moeten niet méér slachtoffers vallen. Ik weet dat je het heel moeilijk hebt, maar dat is ook zo voor mij.'*

Ze kijkt hem aan en zoekt met haar vingers de plaats waar zijn hoofd zit. 'Je moet lachen, Pieter. Je moet vrienden hebben en met hen lol maken. Ik red me wel.'

Hij zucht en strijkt met zijn hand een paar springerige krullen van haar voorhoofd weg. 'Ik kan het niet,' fluistert hij. 'Jij bent mijn vriendin. Niemand kan jou vervangen.'

Pieter veert overeind. De deur van de kamer gaat zachtjes open en dan weer dicht. Voor hij echter iets kan zeggen wipt iemand bij hem op bed.

'Niet schrikken, Pieter. Ik ben het.'

'Lies! Wat doe jij hier? Ik dacht al dat het een geest was.'

'Zie ik er dan zo uit?'

'Nee, natuurlijk niet, maar het was opeens zo eng. Ik schrok wakker. Ik moet gedroomd hebben.'

'Ik kan niet slapen. Ik wilde weten hoe het met je is.'

'Je hoeft je niet ongerust te maken, met mij is alles in orde. Maar zeg eens, jij durft nogal. Je weet toch dat we niet bij elkaar op de kamer mogen.'

'Ja, zeg, en de gemeenschappelijke zaal dan. Daar liggen ze toch ook samen.'

Lies rilt. Ze is ook zo dun gekleed en het is helemaal niet warm in de kamer. Ook al geeft de zon overdag al heel wat warmte, toch is het in de Ardennen 's ochtends meestal fris.

'Mag ik erbij?'

Hij knikt zonder haar aan te kijken. Waar stuurt

Lies in 's hemelsnaam op aan? Hij hoopt maar dat ze niets van plan is of dat ze zich niets in het hoofd heeft gehaald. Gut, als dat laatste waar is, wat moet hij dan doen? Voorzichtig schuift ze bij hem onder de dekens en blijft onbeweeglijk liggen. Net An, hamert het door zijn hoofd.

'Zal ik het licht aanknippen?'

'Nee, niet doen. Het is gezelliger zo.'

Een beetje onwennig liggen ze een tijdje naar de zoldering te staren.

'Meestal is dit het fijnste moment van de dag,' zegt Lies eindelijk.

'Hoe bedoel je?'

''s Morgens nog even in je bed blijven liggen en naar het licht kijken dat door de gordijnen valt, naar de ochtendgeluiden luisteren of naar het gestommel van moeder die beneden in de keuken bezig is. De geur van versgezette koffie ruiken. Ik kan er maar niet genoeg van krijgen. Vind jij dat niet leuk?'

Natuurlijk vind hij zoiets leuk. Alleen, hij vindt het nù niet meer leuk omdat hij het gevoel niet meer kan delen met zijn zus. Vroeger glipte An elke zondagmorgen bij hem in bed. Dan vertelden ze, over de school, de voorbije week, soms ook over hun ouders of over de vriendjes. An had nooit geheimen voor hem en hij niet voor haar. Dat hadden ze elkaar op een dag beloofd toen An vreselijk verdrietig was over een slecht rapport. Pieter herinnert zich dat het in de eerste fase van haar ziekte gebeurde. Iedereen dacht dat ze het op school niet meer naar de zin had, 'de moeilijke leeftijd' zoals enkele leerkrachten het noemden. Maar dat was niet zo. De cellen waren toen al in haar hoofd aanwezig waardoor ze zich veel moeilijker kon concentreren. Ze kon ook bijna niets meer onthouden.

'Is er iets? Je kunt het me vertellen,' zegt Lies.

Enkele onverstaanbare klanken glippen uit zijn keel. Natuurlijk is er iets. Met hem is er àltijd iets aan de hand.

'Je hebt gehoord wat ik gezegd heb, Pieter. Met mij kun je over àlles praten.' Haar stem klinkt dringender.

'Dat weet ik, en daar ben ik ook blij om. Het is alleen... ik kan het niet altijd.'

'Ik begrijp het. Het gaat over An, is het niet?'

'Ja,' komt het stug en bijna onhoorbaar uit zijn mond.

'Ja, An...' mijmert Lies. 'Ik vond haar wel een toffe. Jammer dat ze niet samen met ons...ik bedoel, dat ze er zomaar is uitgestapt.'

'Alsjeblieft niet verdergaan,' fluistert hij. 'Ik kan er gewoon niet tegen.'

Ze zwijgt abrupt. 'Goed. Maar dan moet jij over haar praten. Het is niet goed alles te blijven opkroppen. Het is nu bijna een jaar geleden dat An begraven werd en je komt er maar niet overheen. Waarom sluit je je telkens voor iedereen af?'

'Ik geloof dat je mij deze vraag al een paar keer hebt gesteld.'

'Zou kunnen. Je vertelt ook niets over je avontuur in Reinhardstein. Waarom? Wat heb je er meegemaakt dat je er zo vreemd uitziet?'

'Zie ik er dan vreemd uit?'

'Ja, ik zou wel eens willen weten wat er daar met je is gebeurd.'

'Is zoiets van belang?'

'Natuurlijk.'

'Ik vind van niet. Soms heb ik het gevoel dat ik me aanstel.'

'Zoiets mag je niet denken. Je stelt je niet aan. Echt niet.' Lies roept het bijna.

Pieter wacht een hele tijd. Dan begint hij langzaam te vertellen. Over Professor Van Rijn, de poezen Lancelot en King Richard, de huishoudster Lucie en ten slotte over zijn zoektocht naar de bejaarde man en hoe hij in het bos de witte gedaante is gevolgd. 'Haar gezicht was dat van An, ik weet het zeker,' besluit hij.

'Kom nou, dat kan toch niet.'

Hij kijkt haar met vlammende ogen aan. Als ze zo begint hoeft het voor hem niet meer.

'Goed, het kan best je zus geweest zijn,' zegt ze verzoenend.

'Ik bedoel natuurlijk niet echt.'

'Wat bedoel je dan?'

'Natuurlijk geen geest, dat weet ik ook wel. Maar ze leek zo echt en ze was zo vertrouwd. Ze lachte naar mij. Ik was helemaal van streek. Ik ben haar gevolgd. Indien zij er niet was geweest, dan was ik misschien nooit meer uit dat bos geraakt.'

Lies kijkt een beetje bedenkelijk naar de zoldering. Ze hoopt maar dat Pieter geen hallucinaties heeft. Ze zou het hem willen zeggen, maar ze durft niet. Hij wordt zo vlug boos. Om het kleinste voorval stuift hij op.

'Wees maar rustig, ik geloof je. Misschien hoef je er helemaal niets achter te zoeken. Ik heb ergens gelezen dat wij iemand van wie we zielsveel houden soms gewoon in iemand anders zien opduiken.'

Lies gaat rechtop zitten. Pieter kijkt naar haar profiel. In het binnensijpelende ochtendlicht is ze mooi. De gelijkenis met zijn zus is nog sterker geworden.

'Weet je dat je veel op haar lijkt,' flapt hij er ineens uit.

'Op wie?'

'Op An, natuurlijk!'

'Toe nou,' zegt ze. Er stijgt een warme gloed naar haar wangen.

'Meen je het echt?'

'Natuurlijk, anders zou ik zoiets toch niet zeggen. Zeker niet als het over mijn zus gaat.'

'Je maakt me verlegen.'

'Ik heb het al dikwijls opgemerkt,' gaat hij verder. 'Telkens als je dichtbij was, moest ik toegeven dat je erg op haar lijkt. Jullie zouden tweelingzussen kunnen zijn.'

Lies zegt niets meer. Ze voelt zich opeens niet zo goed in haar vel. Ze hoopt maar dat Pieter geen spelletjes gaat spelen en zijn zus door haar gaat vervangen. Dat zou ze nooit willen.

Hij negeert haar antwoord. Vouwt zijn armen achter zijn hoofd en blijft haar aanstaren. 'Zou jij mijn zus kunnen zijn?'

Ze wordt koud en warm tegelijk. Daar heb je het al, denkt ze. Pieter kraamt nu al wartaal uit.

'Nee, en dat zou ik ook nooit willen. Trouwens, jouw zus is onvervangbaar. Wij zijn allemaal onvervangbaar. Elke mens is uniek.' Haar antwoord klinkt snedig. Net te laat merkt ze het op.

'Je hoeft je niet op te winden of boos te worden.'

'Ik word niet boos, Pieter. Maar jouw zus zou ik nooit

kunnen of willen vervangen. Ik ben en blijf Lies, begrijp dat goed.'

'Ik begrijp het. Het is alleen jammer dat je zo veel op haar lijkt en dat zij er nu niet meer is.'

Wat zegt hij nu? Hoe kan hij zo grof tegen haar zijn? Het is bijna alsof hij haar de dood van An verwijt. Net op tijd slikt ze de opkomende boosheid weg.

'Ik denk dat ik maar eens terug naar mijn kamer ga,' zegt ze. Haar stem trilt een beetje.

'Hé, waarom nu? Het wordt juist zo gezellig, en ik heb nu toch geen slaap meer,' pruttelt hij tegen.

'Goed, nog even dan. Maar geen geruzie meer of ik verdwijn.' Hij moet maar eens leren met andere mensen rekening te houden.

Pieter denkt blijkbaar al niet meer aan de botte opmerking die hij heeft gemaakt. Hij blijft haar maar bekijken.

Er verschijnt een spotlachje rond haar lippen. 'Wat doe je vreemd. Ik had beter niet kunnen komen.'

'Wat doe ik nu weer verkeerd?'

'Niets, laat maar,' zucht ze.

Hij lacht. Lies kijkt verwonderd. Pieter en lachen dat is niet meer van deze wereld.

'Je bent mooi,' zegt hij opeens.

Ze voelt haar wangen kleuren. En meteen zijn daar ook de vlinders in haar buik. Pieter die haar mooi vindt. Zoiets had ze nooit kunnen denken of dromen. En zij is nog wel verliefd op hem. Zou hij iets vermoeden?

'Echt? Jij bent ook niet van de lelijkste!' Wat zegt ze nu allemaal? Dit slaat toch wel alles. Hoe kan ze zich zo stuntelig gedragen tegenover een jongen. Zij, Lies de eeuwige lachebek. De jongensversierster.

'Sorry... ik bedoel... ik... ja zeg, je maakt me verlegen.'

'Het staat je goed,' lacht hij.

Wat krijgen we nu, denkt Lies. Pieter die op de versiertoer gaat. 'Ja, dat zal wel,' grapt ze, en geeft hem een duw. Ze moet nu echt weg. Het is inderdaad de hoogste tijd om nog wat te slapen, want deze namiddag gaan ze Reinhardstein bezoeken.

Voorzichtig schuift ze naar hem toe. Zijn ogen blinken jongensachtig in de hare. 'Vergeet niet met me te praten als je het niet meer ziet zitten,' zegt ze.

Plotseling voelt ze zijn handen rond haar gezicht. Zacht trekt hij haar naar zich toe. En dan zoent hij haar. Zomaar op haar mond. Lies weet zich geen houding te geven. Vlug glipt ze uit bed.

'Ik denk dat ik nu echt moet gaan.'

'Nee, ga nog niet weg. Blijf nog even,' zegt hij. Er ligt iets dringends in zijn stem.

Ze aarzelt, maar gaat dan toch weer op de rand van het bed zitten. Is het eigenlijk wel oké wat ze nu doet, vraagt ze zich af. Voor ze echter een antwoord kan verzinnen ligt zijn hand al op de hare en begint hij zacht voor zich uit te praten. 'Het spijt me als ik soms heel naar tegen je ben geweest. Het was heus niet mijn bedoeling, maar ik ben zo vol van An, zo boordevol van haar dood en alles wat er mee samenhangt. Overal waar ik ga of wat ik doe, telkens is An er ook. Wij waren heel sterk met elkaar verbonden, zie je.'

'Dat geloof ik graag,' zegt Lies. 'Jullie waren altijd bij elkaar. Ik denk dat het dan ook normaal is dat je elkaar veel moeilijker kunt loslaten, nadien.'

Hij kijkt haar aan. 'Bedoel je als één van de twee weggaat of sterft of zo?'

'Dat bedoel ik, ja. Maar dat neemt niet weg dat je die persoon ooit toch zult moeten loslaten. Ik heb ongeveer hetzelfde meegemaakt na de dood van mijn grootmoeder. Oma was bijna een stuk van mezelf. Ik had nooit kunnen denken hoe het zou zijn als ze er niet meer was. Tot de dag dat ik met mijn neus op de feiten werd gedrukt. Doodgaan hou je niet tegen, Pieter. Het hoort bij het leven.'

Hij denkt na en bekijkt haar van terzijde. Lies lijkt opeens veel ouder. Maar misschien heeft ze wel gelijk, alleen...

'Doodgaan hou je inderdaad niet tegen,' gaat hij langzaam verder, 'maar dood willen, wat doe je daarmee?'

Het is eruit, zomaar ineens, en hij kan de woorden niet meer terugnemen. Hij heeft eindelijk gedurfd over het vreselijke te praten.

Lies krimpt in elkaar onder Pieters woorden. Daar wringt dus het schoentje. Ze had het kunnen denken. Zij heeft het er ook moeilijk mee gehad. De hele klas trouwens. Maar voor hem moet het zeker extra moeilijk geweest zijn.

'Je weet waarschijnlijk waar ik het over heb,' gaat hij verder omdat Lies blijft zwijgen.

Ze schraapt haar keel en kucht stuntelig. 'Dat weet ik, ja.'

'Ik heb haar niet tegengehouden,' zegt hij, elk woord duidelijk articulerend. 'Ik heb het An niet verhinderd. Ik heb schuld aan haar dood.'

'Dat mag je niet zeggen,' werpt Lies onmiddellijk tegen. 'Zoiets is niet waar. Je hebt het niet 'kunnen' verhinderen, zou beter klinken.'

'Dat zeg jij. Maar ik weet wel beter. Weet je, soms zei ze het bijna letterlijk, ze legde me de woorden in de mond en ik reageerde niet. Begrijp jij dat? Ik dacht dat ze een grapje maakte als ze soms zei dat ze er op een dag een eind aan zou maken, of dat ze liever weg zou zijn omdat ze iedereen toch maar tot last was.'

'En jij hebt hiertegen nooit iets gedaan of hierover nooit iets gezegd?'

'Toch wel,' aarzelt hij. 'Ik trachtte het uit haar hoofd te praten. Ik zei dat we haar nodig hadden. Haar aanwezigheid en de liefde die ze ons gaf waren genoeg om ons gelukkig te maken. Dus moest ze niet denken dat ze een lastpak was.'

'Wel, dan is het toch oké. Ik vind dat je jezelf onnodig pijn doet. Je zus heeft gewoon beslist er op een bepaald ogenblik zelf mee te kappen. Waarschijnlijk voelde ze zich helemaal niet prettig meer op deze wereld, zeker toen ze vernam dat ze geen schijn van kans maakte om te genezen. Zoiets doet iemand nadenken. En zoals je zelf zegt, ze was al een beetje labiel en ze deed vreemde dingen. De tumor in haar hoofd zal daar wel voor een groot stuk de oorzaak van zijn geweest. Daarbij kwam dat ze niet helder meer kon denken en dat ze voortdurend vreselijke pijn had. Je zou van minder moedeloos worden. Je hoeft dus geen schuldgevoelens te hebben omdat ze het ten slotte toch gedaan heeft.'

'Ik wou dat ik je kon geloven, maar het is zo moeilijk. Na de operatie heeft ze nog een tijdje geleefd. Maar het was zo droevig. Ze leek wel een plant. Op een dag - mama kon niet komen omdat ze vreselijk verkouden was en haar niet wilde aansteken - zat ik na schooltijd naast haar bed. Ik had de gewoonte mijn huiswerk op haar kamer in het ziekenhuis te maken. Onverwachts begon ze te praten. Ik stond versteld. Ze had gedurende bijna twee weken geen woord meer gezegd en nu leek ze ineens zo helder en volledig bij haar verstand. Ik was daar heel blij om. Ze vroeg of ik er wilde voor zorgen dat ze zo vlug mogelijk terug naar huis kon. Thuis kon ze ook rusten en de medicatie die ze nodig had voor het verdere herstel kon daar ook worden toegediend. Ondanks het aandringen van mijn ouders gaven de dokters geen toestemming. Dat heeft haar verschrikkelijk ongelukkig gemaakt. De nacht na die vreselijke beslissing heeft ze alle infusen en beademingsmateriaal weggetrokken. Ik begrijp nog altijd niet hoe het kan dat de bewaking niet opgemerkt heeft dat er iets aan de hand was. Toen de verpleging bij haar aankwam, was het eigenlijk al te laat. Door de ingreep was haar hart te veel verzwakt. Nadien heeft ze niet lang meer geleefd. 's Ochtends werd mama opgeroepen omdat het plotseling heel slecht met An ging. Toen we in het ziekenhuis aankwamen was ze al dood. Ik kan het maar niet begrijpen. Zo plotseling. We hebben niets meer tegen elkaar kunnen zeggen. De vorige avond had ze mij verteld over de sterren. 'Als ik er niet meer ben zal ik een ster aan de hemel zijn, speciaal voor jou,' zei ze, of tenminste toch iets in die aard, ik weet het allemaal niet zo goed meer. Die ochtend stonden we sprakeloos rond haar bed. Het was alsof An sliep, zo rustig lag ze. Maar we konden niets meer zeggen. We waren woest op onszelf, omdat we haar alleen hadden gelaten.'

Lies weet niet wat ze moet zeggen. Het is allemaal zo triest. Ze begrijpt Pieters reactie, maar weet niet of het de juiste is. Ze zou hem zo graag helpen, maar ze is bang dingen te zeggen die het allemaal nog erger zullen maken. Wat moet ze zich eigenlijk bij een zelfdoding van iemand voorstellen. De uitleg dat die iemand zelf kiest om dood te gaan, vindt ze maar mager. Zo zit het meestal niet in elkaar. Toen ze vernam wat er met An gebeurd was dacht ze: hé, waarom nou? Wat hebben de anderen haar misdaan dat ze hen zomaar in de steek laat en zoveel verdriet bezorgt. Achteraf was ze hierover gaan nadenken en vond ze dat An zelf toch ook recht had. An wist dat ze niet meer kon genezen en dat ze op een dag zou sterven. Ze had ook verschrikkelijke pijn die door niets meer kon verzacht worden. Eigenlijk leefde ze al een beetje als een plant. Lies vindt het heel moeilijk hierover een oordeel te vellen. Toch wil ze Pieter helpen. Ze vindt het niet goed dat hij met schuldgevoelens achterblijft. Ze vraagt zich af of het eigenlijk wel zelfdoding is geweest. An heeft nadien nog enkele uren geleefd. Ze was niet meteen dood. Ook al had ze de infusen laten zitten, dan nog zou ze waarschijnlijk heel vlug gestorven zijn.

'Het is natuurlijk geen leuk verhaal,' begint Lies voorzichtig, 'maar ik vind dat je de schuld toch niet bij jezelf moet leggen, Pieter.'

'Jij vindt dat!'

'Ja. Je hebt zelf gezegd dat je het er meerdere keren met haar over gehad hebt, maar zij koos iets anders. Jij, noch je ouders hebben dus schuld aan Ans dood. Ze heeft de infusen en de beademing zelf weggehaald, en daar heeft ze tenslotte toch voor gekozen. Ik denk, als je haar beslissing respecteert, je mettertijd ook haar dood zult kunnen aanvaarden.'

Pieter staat op van het bed en schuift de gordijnen weg. Hij opent het raam en laat de koele ochtendlucht naar binnen stromen. Hij had nooit kunnen vermoeden dat Lies het van die kant zou bekijken. Blijkbaar heeft ze over de dood van zijn zus wel goed nagedacht en zich een eigen mening gevormd.

'Je kunt gelijk hebben,' zegt hij, 'maar als ik dat toegeef dan voelt het of ik An verraad, of liever, of ik niet meer aan haar denk of haar dood niet meer erg vind.'

Lies zucht langgerekt. 'Niemand zou toch ooit beweren dat jij niet meer van je zus houdt alleen omdat je anders over haar gaat denken. Zelfdoding is inderdaad verschrikkelijk en het blijft onbegrijpelijk. Weet je, in het begin toen ik vernam dat het daar om ging, ben ik verschrikkelijk geschrokken. Ik begreep het gewoon niet. Hoe kon ze nu zoiets doen? Eigenlijk vond ik het vreselijk egoïstisch van je zus, omdat ze zoveel mensen met vragen en pijn achterliet. Maar achteraf, toen ik er dieper begon over na te denken, leek het me helemaal zo erg niet meer. Stilaan begon ik begrip te tonen voor Ans beslissing. Misschien kon ze inderdaad het leven niet meer aan nadat ze had vernomen dat ze nooit meer kon genezen. Ik begon me af te vragen hoe ik zou reageren als ik in dezelfde omstandigheden zou zijn. Zou ik dan nog verder willen leven, of zou ik de andere weg kiezen? Zo ben ik ten slotte die beslissing gaan respecteren. Misschien klinkt het vreemd of hard, maar ik kon An geen ongelijk meer geven. Het bleef mij echter sterk bezighouden. Een tijd later praatte ik er met mijn moeder over. Ik schrok toen zij er ook zo over bleek te denken. Zij vertelde me dat ze het enorm moeilijk had gehad bij de dood van opa. Opa had kanker. Hij leed verschrikkelijk. Er ging geen dag voorbij dat hij niet vroeg om toch maar te mogen sterven. Mama heeft toen wel meerdere keren gedacht: alsjeblieft geef hem een spuitje dat hij tenminste van de pijn verlost is. Toch voelde mama zich nadien altijd vreselijk rot, juist omdat ze met die gedachten rondliep. Opa heeft nog weken geleefd, terwijl men wist dat er niets meer aan te doen was. Na zijn dood had mama schuldgevoelens omdat ze hem zo lang had laten lijden.'

'Zou jij over euthanasie kunnen beslissen bij iemand die niet meer wil leven?' onderbreekt Pieter haar.

Lies kan niet onmiddellijk antwoorden. Het is ook zo'n moeilijke vraag. Ze heeft er wel eens over nagedacht als er weer eens een programma op de televisie was dat erover handelde.

'Ik weet het echt niet,' aarzelt ze. 'Ik bedoel, wat doe je als de vraag niet van de zieke zelf komt? Ik vind dat je het recht niet hebt dit te vragen. Het is volgens mij een totaal andere beslissing dan wanneer je zelf probeert er iets aan te doen. Ik zou het gewoon niet durven. Ik denk dat ik altijd met dat kleine percentage onwetendheid zou achterblijven.'

'Bedoel je, dat je je zou afvragen of er toch nog kans was om te genezen?'

'Iets in die aard, ja. Ik vind het vreselijk moeilijk hierop een antwoord te geven. Over je eigen dood beslissen, vind ik nog oké, maar over het beëindigen van het leven van iemand anders is toch nog wat anders.'

'Dat is toch ook zo met zelfdoding. Ik denk dat je altijd alles in het werk moet stellen om de ander op andere gedachten te brengen.'

'Pieter, je weet net zo goed als ik dat iemand die zoiets van plan is, het op een keer ook werkelijk doet. Of niet?'

'Dat zeggen de dokters en de therapeuten. Maar toch blijft het van binnen knagen,' zegt hij zacht.

'Misschien moet je je verdriet wat minder koesteren,' zegt Lies. 'Probeer zoveel mogelijk aan de mooie momenten met An te denken en probeer ook geen schuldgevoelens te hebben. Dat is voor niets nodig.'

Het blijft een hele tijd stil tussen de beide tieners. Ze worden door hun persoonlijke gevoelens in beslag genomen.

In de tuin van het pension begint de haan te kraaien. Een zonnestraal valt naar binnen en verlicht de kamer. Lies glipt uit bed en rekt zich uit.

'Nu moet ik toch echt gaan, hoor Pieter,' zegt ze vlug. 'Bedankt omdat je me in vertrouwen hebt genomen.'

Voor hij iets kan zeggen, is ze verdwenen. Beduusd staart hij naar de gesloten deur.

Gekke Lies, denkt hij. Maar het was wel fijn. En hij heeft zichzelf overtroffen. Stel je voor, zomaar een meisje kussen. Hoe heeft hij dat durven doen?

Hij werpt de dekens van zich af, pakt een badhanddoek en stapt naar de douches. Op de gang is nog geen beweging.

Negen

Het is stralend weer. Meester Bert loopt vooraan en geeft uitleg over de streek. Ze zijn op weg naar Reinhardstein.

Pieters hart klopt onstuimig. Zal hij de professor terugzien? Zijn nachtelijk avontuur zit hem nog vers in het geheugen. Het gesprek met de oude man heeft hem rustiger gemaakt. Maar meer nog dan de woorden van de professor heeft het gesprek met Lies iets bij hem losgewoeld. Hij heeft het er wel wat moeilijk mee. Wat ze bedoelt met 'zijn verdriet koesteren', begrijpt hij niet goed. Hij beseft wel dat hij An stilaan zal moeten loslaten, ook al doet het veel pijn. Hij voelt dat hij nu anders tegenover haar staat. Zijn verdriet is anders geworden. Daardoor is de kloof die tussen hen ligt, niet meer zo diep.

Lies loopt naast Pieter. Af en toe kijkt ze naar hem en lacht. Ze is die onverwachte zoen niet vergeten. Als ze eraan denkt, dartelen de vlinders in haar buik. Zou Pieter ook iets om haar geven?

'Is het nog ver?' puft Paultje. Zoals gewoonlijk komt hij een beetje achterop. Hij heeft het helemaal niet naar zijn zin. Altijd maar lopen is niks voor hem.

'Niet zeuren, Paul,' grinnikt Lies. 'Geniet liever van de zon en de fijne wandeling.'

'Fijne wandeling. Noem jij dit een fijne wandeling? Klimmen, dalen, weer klimmen en dalen. Het houdt niet op! Zoiets is verschrikkelijk voor mijn rug en voeten.'

Ze gieren. Paultje vindt toch ook altijd wel iets om over te zeuren.

Ongeveer een halfuur later duiken de donkere contouren van de machtige burcht achter de bomen op.

'Eindelijk,' zucht Paultje. 'Ik hoop maar dat ik een beetje kan uitrusten in dat kasteel.'

'We krijgen zo meteen een rondleiding. Hou jezelf dus nog maar even in bedwang,' vermaant Lies.

'Aiaiai, ook dat nog. Natuurlijk zal er van een beetje rust helemaal geen sprake zijn.'

'Jij bent een ouwe zeur!' roept Lies.

Verongelijkt klapt Paultjes mond dicht. Mokkend besluit hij voor de rest van de dag geen woord meer te zeggen.

'Eigenlijk vreemd dat je het kasteel pas ziet als het bos achter je ligt, ook al is het op hoge rots gebouwd,' merkt Lies op.

'Ik dacht juist hetzelfde toen ik hier gisteravond aankwam en totaal onverwachts voor de ingang stond. De burcht wordt dus inderdaad beschermd door het bos,' beaamt Pieter.

Bij de ingang wacht de gids. Pieter herkent de dame die hij gisteravond heeft gezien toen hij zich achter de marmeren fontein verstopte. Het ijzeren hek waarlangs hij is binnengeglipt, is nu volledig geopend zodat ze ongehinderd naar binnen kunnen. Zijn ogen dwalen over de machtige granieten muren. De donjon, waarin hij de verblijfplaats van de professor vermoedt, staat donker afgelijnd tegen de heldere hemel. Hij kan nauwelijks een rilling bedwingen als hij aan zijn avontuur terugdenkt. Nu pas, bij het langzaam observeren, merkt hij voor het eerst dat er verschillende paden naar het kasteel lopen. Dezelfde jeep als gisteravond staat op de binnenplaats. Even later voegt de dame in het zwart zich bij de groep. Dit heb ik tenminste niet gedroomd, denkt Pieter opgelucht. Hij vertelt het aan Lies.

'Blijkbaar twijfel je nog altijd aan het bestaan van die man. Geloof je meester Bert niet?'

'Toch wel,' aarzelt hij, 'alleen is alles zo verward. Weet je, het was zo vreemd toen ik wakker werd. De tafel was netjes afgeruimd, het haardvuur was gedoofd, tenminste, zo leek het. Het kan evengoed nooit aangemaakt geweest zijn.'

Verwonderd kijkt Lies hem aan. Nu begrijpt ze er helemaal niets meer van.

'Je hoeft zo niet te kijken. Ik vertel gewoon wat ik me herinner,' merkt hij op.

Lies houdt wijselijk haar mond. Met Pieter nu een discussie aangaan zou toch tot niets leiden.

'Laten we nu maar de gids volgen. Iedereen is al binnen,' zegt ze.

Ze stappen over het plein. Pieter kan nog net de deur ontwijken die met een klap achter hem dichtvalt. De mond van Lies valt open van verbazing. 'Wauw, wat een ridderzaal! Zoiets heb ik nog nooit gezien.' Als een prinses schrijdt ze over de granieten tegels, terwijl haar vingers hier en daar vluchtig over het houtsnijwerk van de meubels glijden. Ze kan er maar niet genoeg van krijgen. Ook Pieter kijkt sprakeloos rond. Deze ruimte heeft hij gisteravond duidelijk gezien. Hij herinnert zich dat zijn vingers onverwachts een schakelaar aanraakten waardoor de hele ruimte plotseling in het licht baadde.

Ondertussen staat Lies al in een ander vertrek. Pieter volgt slechts langzaam. Tevergeefs tracht hij een teken van herkenning in de kamers terug te vinden. Wat hij ziet en voelt is niet hetzelfde als vannacht. Dit is een museum, een doodgewoon onbewoond museum zoals er zoveel verspreid zijn over het land.

Teleurgesteld gaat hij op een uitgehouwen stenen bank zitten en kijkt naar buiten. De prachtige tuin met het donkere bos er onmiddellijk achter, baadt in het zonlicht. De ramen zijn geopend en laten de frisse lucht naar binnen stromen. Hij snuift de geur van bloemen op. Die komt hem bekend voor. Is het Ans parfum? Ergens ver weg hoort hij het gesnater van eenden.

Zou hij dan toch gedroomd hebben? Alles lijkt hem opeens zo ver weg, alsof hij het in een andere tijd heeft beleefd.

Een lichtstraal schuift schuin naar binnen en verlicht een gedeelte van het wandtapijt. Pieter veert recht. Natuurlijk, dat is het. Het wandtapijt! Hij herinnert zich de doorgang waarlangs hij op de gaanderij is terechtgekomen. Behendig tasten zijn vingers achter het tapijt, maar er is niets. Geen deur, geen raam, zelfs geen schakelaar.

Teleurgesteld sjokt hij terug naar de stenen bank naast het raam. Hoe kan dat nu?

Opeens staat Lies in de deuropening. Met een schok zit hij recht. De wereld is terug.

'Pieter, kom je nu eindelijk? We gaan verder.'

'Jaja, ik kom zo.'

Ze is alweer verdwenen. Het geroezemoes van stemmen en het gestommel op de trap dringen tot hem door. Hij gist dat ze nu langs de wenteltrap naar boven stappen. Eenmaal boven heb je een prachtig uitzicht over de streek.

Ik moet nu gaan, denkt hij. Maar hoe hij ook probeert te bewegen, hij kan het niet. Hij blijft als vastgeplakt op de stenen bank zitten.

Daar zijn de eenden weer. Hij buigt zich voorover. Een stukje loszittende steen schuift naar beneden. Hij duizelt en trekt zich vlug terug.

'Ik kan het niet.' Ans stem galmt over het water. Langzaam schuift ze verder naar beneden.

'Je kunt het wel. Laat je gewoon glijden, ik vang je wel op,' lacht Pieter.

'Ik ben bang. Ik wil niet meer verder. Met welke spelletjes ben je nu weer bezig?'

'Ik speel geen spelletjes, ik moet die fles daar hebben.'

'Welke fles?'

'Die groene fles die op het water drijft.'

An is opeens één en al oor. Haar angst is verdwenen. 'Vang me op!'

Enkele seconden later ligt ze tegen hem aan en vouwt haar armen rond zijn hals. 'Draag me in de boot.'

'Hé zeg, wat nog meer?'

'Geen commentaar, broertje. Je doet wat ik zeg.'

Ze is zo licht als een veer. De laatste maanden is ze sterk vermagerd. Haar wangen zijn helemaal ingevallen. Toch ziet ze er niet ziek uit. Er ligt zelfs een lichte blos op haar wangen.

Stuntelig sukkelt hij naar de boot. Vlug zet hij haar neer op één van de zitbankjes. Onmiddellijk tasten haar handen over de bootrand om het water te voelen. 'Zijn we nog niet weg? Vooruit broertje, ik wil die fles.'

'Vrouwen!' zegt hij met opgetrokken wenkbrauwen.

Ze negeert zijn opmerking. Ze weet dat hij het zegt om haar te plagen. 'Misschien zit er wel een boodschap in, of een S.O.S.-bericht, dat zou pas spannend zijn.'

'En wat doen wij dan?' vraagt Pieter met een scheef lachje, terwijl hij in de richting van de fles roeit.

'We zetten natuurlijk een reddingsactie op touw, want we moeten de berichtgever redden. Misschien is het wel iemand die achtergebleven is op een onbewoond eiland. Stel je voor, zeg. Oh, ik kan bijna niet wachten. Kun je er nog niet bij?'

'Wie zegt dat er een bericht in zit? Als de fles leeg is ben jij ontgoocheld.'

'Dan hebben we tenminste toch de spanning en die kan niemand ons afnemen.'

Sinds haar ziekte reageert An totaal anders op de dingen. Ze probeert zoveel mogelijk van elk moment te genieten. Het is of ze stilletjes weigert bewust deel te nemen aan het aftakelingsproces. Met uitdrukkingsloze ogen kijkt ze hem hoopvol aan. 'Kun je er nog niet bij-ij,' zingt ze.

'Een beetje geduld, zus. Wacht ik rek me even uit, dan lukt het wel.'

Net iets te ver natuurlijk. Een seconde later verliest Pieter zijn evenwicht en duikelt in het water. Een ogenblik is alles donker. Naar adem happend komt hij boven. Bah, hij heeft een vieze smaak in zijn mond.

'Wat gebeurt er?' An gilt paniekerig. Met openge-

sperde ogen zit ze op het bankje en tracht tevergeefs iets
te zien. Krampachtig omknellen haar vingers het hout
van de bootrand tot haar knokkels wit zijn. Als een half
verzopen hond klautert hij aan boord.

'Stil maar, ik ben er al. Gelukkig was ik vlug boven.
Zie me hier nu zitten, helemaal vol slijk, en nat tot op
mijn vel.'

An grinnikt zenuwachtig. Ze is zo blij dat Pieter
ongedeerd is. 'Kom hier bij me,' slaat ze met haar hand
op de bank.

'Eerst moeten we aan land zien te komen. Ik moet
snel andere kleren aantrekken voor ik snipverkouden
word.'

Hij roeit naar de oever waar het sashuis staat. In de
kist liggen droge kleren. Die heeft hij hier ooit met de
overige huisraad naartoe gebracht.

'En de fles?'

'Die laten we nu maar verder dobberen.'

'Hé, vervelend zeg, ik had zo op een bericht van een
onzichtbare drenkeling gehoopt.'

'Troost je, er zit immers niks in.'

'Hoe weet jij dat?'

'Ik heb het gezien.' Pieter weet dat hij haar hierdoor
schaakmat zet, want zij kan niet zien. Voor haar blijft
alles duister. Even borrelen schuldgevoelens naar de
oppervlakte, maar hij duwt ze hardnekkig weg.

'Je speldt me wat op de mouw.'

'Niet waar. Stil nou maar, we zijn zo bij het sashuis.
Kom, geef me je hand.'

'Nee, draag me. Draag me over de drempel als wanneer je pas gehuwd bent.' Haar lippen krullen ondeu-
gend.

Jammer dat haar ogen uitdrukkingsloos blijven, anders zouden ze zeker geschitterd hebben, denkt Pieter.

'Je zult helemaal vuil worden. Ik zit onder de modder.'

'Zal mij een zorg wezen. Mams kiepert vanavond toch alles in de wasmachine.'

'Komaan dan.' Hij zwiept haar in zijn armen omhoog en draagt haar naar binnen.

'Hé, er is niet eens een drempel,' lacht hij. 'Alles naar wens, jonkvrouw An?'

'Jawel, ridder Pieter, dank je.'

Ze maakt een sierlijke buiging voor hem. Hij moet alweer lachen. Hij weet dat An nu het spelletje zal verder spelen. Dat doet ze vaak de laatste tijd. Misschien tracht ze op die manier de rauwe werkelijkheid een beetje te ontvluchten. Als dat zo is, hij heeft het er helemaal niet moeilijk mee. Als An maar gelukkig is, al is het dan maar voor even, dan is alles voor hem oké.

Snel duikt hij in de kist en verwisselt zijn kleren.

'Wat spook je toch allemaal uit, ridder Pieter?'

'Ik trek andere kleren aan, weet je nog. Ik stop het beslijkte plunje in een plastic zak.'

'Dan is het nu tijd voor een glaasje wijn. Is hij gekoeld, ridder Pieter?'

'Zeker, jonkvrouw.'

'Schenk me dan maar een glas in, ik stik van de dorst.'

Pieter duikt in de gammele kast en diept een colablikje op. Hij heeft het er gisteren achtergelaten. Ze slurpen van de cola.

'Een beetje lauw, vind je niet ridder Pieter?'

'Zoals je zegt, jonkvrouw An. Jammer genoeg zijn de koelkasten nog niet uitgevonden!'

Ze schieten in de lach. Zo gaat het maar door tot zijn zus moe begint te worden.

Hij haalt een deken en spreidt die een eindje verderop, onder de treurwilg. Even later liggen ze op hun rug, de armen achter het hoofd, naar het bewegen van de bladeren te kijken en te luisteren.

'Wat een zaligheid,' zucht An. 'Jammer dat ik niets kan zien, maar ik kan het me wel voorstellen.'

Ze wijst in de lucht en tekent met haar vinger grillige vormen in het niets. 'Daar heb je de zon,' zegt ze. 'Ik voel haar warmte op mijn gezicht. Ze komt hier en daar door de bladeren piepen, is het niet?'

Pieter knikt slechts. Hij kan niets zeggen. Hij heeft weer die vervelende brok in zijn keel.

'Ik wed dat jij slaapt, of toch bijna.'

'Welnee.' Zijn stem maakt een buiteling. Hij kucht.

'Kom maar heel dicht bij me liggen, broer, zodat ik je kan voelen. Het is zo fijn als ik iemand voel. Dan wordt alles warm vanbinnen. Dan is er geen angst of onrust.'

Hij doet wat ze vraagt. Schuift dichter naar haar toe. Werktuigelijk kruipt ze tegen hem aan, haar hoofd op zijn arm, zoals ze 's zondags thuis nog even in bed nasoezen.

'Zo blijven liggen. Nooit meer van elkaar weggaan, zou dat niet zalig zijn?'

'Natuurlijk, maar je weet dat zoiets niet kan, zus.'

Een hele tijd zegt ze niets meer. Dan opeens: 'Misschien is er toch een mogelijkheid om nooit van elkaar weg te hoeven gaan.'

'Ja?'

'Ik weet dat ik er op een dag niet meer zal zijn en toch ben ik er niet verdrietig om. En weet je waarom? Als we nu eens afspreken dat ik in jou kom wonen, dan zal ik nooit echt weg zijn. Jij kan dat trouwens ook.'

Hij wordt koud en warm tegelijk. Wat moet hij daar nu op antwoorden? Beseft An wel wat ze hem aandoet als ze zo praat?

'Waarom zeg je niets. Heb ik geen gelijk?'

'Natuurlijk heb je gelijk, zus,' antwoordt hij met een dikke stem.

Ze steunt op haar ellebogen. Haar gezicht is boven het zijne. 'Huil je?'

'Waarom zeg je toch zulke dingen?'

'Je hoeft niet verdrietig te zijn dat je me zult verliezen. Als ik in jou kom wonen is er geen vuiltje aan de lucht, afgesproken?'

Alsof het allemaal zo gemakkelijk is! Hij zou heel ver willen weglopen, waar niemand hem kent.

'Wil je dat ik in jou kom wonen, broertje?'

Hij kan niets zeggen. Met een verbeten trek om de lippen blijft hij naar haar gezicht staren. Haar lieve gezicht, dat hij binnenkort nooit meer zal zien, behalve op een stomme foto of op een videotape.

'Zwijg An, alsjeblieft.'

'Eerst zeggen,' houdt ze vol.

'Ja, je mag in mij wonen. Nu goed?'

Ze lacht alweer haar fijne lach en rolt zomaar over hem tot ze tegen de stam van de boom ligt.

Voorzichtig gaat ze rechtop staan. Haar vingers glijden over de groeven.

'Mijn trollenboom,' zingt ze. 'Weet je wat ik ga doen? Als ik in jou woon, pluk ik elke avond een ster voor jou. Andromeda bijvoorbeeld. En de maan is natuurlijk ook van de partij. Wat denk je ervan?'

'Ik vind alles goed,' zegt hij.

Pieter knippert tegen het felle licht. De zon schijnt nu pal in zijn gezicht. In de verte, achter de donkere bos van het woud is de lucht nog ijler geworden.

Zou ze het toen al geweten hebben, denkt hij.

Daar is het gesnater van de eenden weer. Hij kijkt uit het raam in de richting van het geluid. Eindelijk ziet hij de eendenstoet over het gazon waggelen: mama met haar vier kleintjes. Hij vraagt zich af waar ze naar op zoek zijn. Er is nergens een vijver te bespeuren.

'Pieter!' De stem van meester Bert rukt hem uit de zijn herinneringen.

'Ik kom!'

De groep wacht op de binnenplaats. 'Jou zijn we de laatste tijd toch altijd kwijt,' moppert de meester.

'Gaan we nu al terug?' vraagt Pieter.

'Ja, wat dacht je, dat we hier blijven wonen. De rondleiding heeft anderhalf uur geduurd. Lang genoeg als je 't mij vraagt. Maar het was wel interessant. Zeg, waar heb je al die tijd gezeten? Meester Bert vond het maar niks dat je er weer eens niet bij was. Hij is je nachtelijk avontuur nog niet vergeten,' zegt Lies.

'Gewoon een beetje nagedacht, meer niet.'

'Jij denkt veel te veel na. Dat is niet goed voor jonge mensen.'

Hij schiet in de lach. Gekke Lies. Ze lijkt zijn moeder wel.

'Eindelijk vatten we de terugtocht aan,' glipt Paultje tussen hen in. 'Avondeten, here I come!'

'Jou hoeven we ook nooit te vragen waar je het meest aan denkt, hè,' grapt Lies.

'Het is verschrikkelijk,' beaamt Paultje. 'Ik zie aldoor lekkere hamburgers, grote puntzakken met heerlijke, knapperige frietjes en een kwak mayonaise erboven op.'

'Kun je wel, veelvraat. Hier, prop dit maar achter je kiezen, zodat je tenminste een tijdje zwijgt, zeurkous,' sputtert Lies die Paultje een zakje met snoep in de handen duwt.

Gelukkig als een kleine dreumes die zijn eerste snoepje krijgt, stormt Paultje een eind voorop waar hij met de buit op een bank neerploft. Genietend zuigt hij op de snoepjes.

'Paultje is knettergek,' lacht Lies.

Dan zegt ze een hele tijd niets meer. Af en toe kijkt ze Pieter van terzijde aan.

Meester Bert vertelt over de marmeren fontein.

'Heb je de professor ondertussen gezien?' begint Lies fijntjes.

'Nee, helemaal niet. En dat vind ik juist zo vreemd. Ik begrijp er geen sikkepit meer van. Ik zit de halve nacht met hem te praten en opeens, floep, niks meer. Geen professor, geen poezen, zelfs geen Lucie.'

'Ben je naar hem op zoek gegaan?'

'Niet echt. Ik heb wat uitgerust op één van die stenen banken bij een raam terwijl jullie aan de rondleiding bezig waren. Ik hoefde helemaal niet meer te worden rondgeleid, ik heb het gisteren allemaal gezien. Maar alles leek me zo verlaten, ik bedoel, zo echt gewoon een museum. Gisteravond en deze nacht heb ik deze burcht helemaal anders ervaren, begrijp je.'

'Tja,' zucht Lies. Dat is het enige wat ze kan uitbrengen. Ze weet er ook geen antwoord op. 'Wat ga je nu doen?'

'Meegaan met jullie, veronderstel ik. Terug naar huis.'

'Ja, er zal wel niets anders op zitten.'

Lies heeft met hem te doen. Ze zou hem zo graag helpen.

Ze verzamelen bij het ijzeren hek. Daar voert meester Bert nog een controle uit. 'Voor het geval dat je er weer niet bij bent!' grinnikt hij naar Pieter.

Als ze de binnenplaats verlaten, kijkt hij nog even om. Er gaat er een schok door hem heen. King Richard springt van het bordes. Even later volgt Lancelot. Snel verdwijnen de poezen in de struiken.

'Kijk, ze zijn er toch,' roept hij opgelucht. 'De professor moet hier dus ook zijn. Ik heb wel zin om terug te gaan. Ik zou hem zo graag nog eens ontmoeten.'

'Ach welnee, Pieter. Kom nu maar met ons mee, dat is beter. Trouwens, misschien zijn die poezen wel zwerfkatten. Dat komt hier wel vaker voor.'

Beteuterd blijft hij kijken, maar er is verder niets meer te zien.

Als ze eindelijk achter de bomen verdwijnen meent hij een gedaante achter het hoogste raam van de donjon te zien verschijnen. Of is dat ook verbeelding? Misschien moet hij er maar niet meer aan denken en gewoon doen alsof er niets is gebeurd.

Tien

Eindelijk komt de brug over de Schelde in zicht. Zou het sashuis er nog zijn? Pieter rekt zich zoveel mogelijk uit. Ja hoor, half verscholen tussen het groen duikt het rode pannendak op.

Gelukkig, het is er nog allemaal. Ja, wat had hij dan verwacht? Dat alles in een paar dagen zou verdwijnen omdat hij afwezig was?

'Ik vind het jammer dat de schoolreis erop zit,' zegt Lies. 'Ik had best nog wat langer willen blijven.' Loom leunt ze tegen Pieters arm.

'Aan alles komt een eind.'

Voor hen zit Paultje. Zijn hoofd is opzij gegleden. Zijn wangen hebben de kleur van overrijpe kersen. Uit zijn keel ontsnappen verdachte geluiden.

'Moet je die Paultje zien. Hoe vredig,' zucht Lies.

'Toch fijn dat de professor nog even contact met je opnam voor we vertrokken,' zegt Lies.

'Zeg dat wel. Ik geef toe dat ik heel wat twijfels had. Maar hij had me niet verteld dat hij de volgende dag in Brussel een lezing moest geven. Hij heeft beloofd contact met me te houden. En tijdens de zomervakantie verwacht hij me met mijn ouders op het kasteel.'

De bus stopt keurig op de afgesproken plaats bij de school.

Meteen is Paultje wakker. Hij tuurt met verbaasde ogen om zich heen. 'Eindelijk,' wrijft hij zich vergenoegd in de handen. 'Nu zo vlug mogelijk uitstappen, want ik heb honger als een wolf. Gaan jullie meteen naar huis?'

'Jij soms niet?'

'Ik stap eerst even de frituur binnen, je weet wel, naast de bibliotheek. Daar zijn de frietjes het lekkerst.'

'Nee toch,' kreunt Lies.

'Jawel, en ik wil een grote puntzak met alles erop en eraan.'

'Onverbeterlijke slokop!' lacht Lies, maar ze gunt het hem van harte. Paultje en eten horen nu eenmaal bij elkaar en als hij er geen complexen aan overhoudt, is het voor iedereen oké.

Pieter vist zijn fiets uit het rek. Lies blijft nog even dralen. Ze probeert het afscheid een beetje uit te stellen. In de afgelopen dagen is er zoveel tussen hen gebeurd. Ze vindt het ontzettend stom dat ze hem nu al moet verlaten. Ze zou hem nog zoveel willen vertellen.

Pieter bevestigt de tas op zijn bagagedrager en controleert nog even of alles stevig vastzit. Lies houdt het stuur van zijn fiets vast.

'Zie ik je nog?' vraagt ze met een dun stemmetje. Het is of er een erwt in haar keel zit. Ze kan zichzelf wel een stomp geven.

'Natuurlijk. Maandag op het schoolplein. Heb jij een ander idee?'

Ze aarzelt en krijgt meteen een kleur als een pioen. 'Niet bepaald... of toch... misschien kunnen we morgen samen gaan zwemmen. Tenminste, als jij zin hebt.'

Hij denkt na. Samen met Lies naar het zwembad en niet met An, ratelen zijn hersens. Is zoiets mogelijk? Kan hij zoiets doen? An kon nooit gaan zwemmen. Het was te gevaarlijk.

Laat haar toch los, hamert een stem binnenin. Schichtig kijkt hij rond, maar er is niets dan het blinkende stuur waarop de handen van Lies rusten. Ze ziet dat hij het moeilijk heeft en grijpt meteen in. Misschien had ze deze vraag toch maar beter niet kunnen stellen. Wat is ze toch een uilskuiken! 'Het hoeft echt niet als je geen zin hebt,' zegt ze vlug.

'Ach, waarom ook niet,' mompelt hij. 'Morgenmiddag om twee uur?'

'Oké.' Ze lacht. De zon zit alweer in haar ogen.

'Wacht, ik haal eerst even je fiets uit het rek,' biedt hij galant aan.

Even later is Lies achter de bocht verdwenen. Nog even vangt hij een glimp op van haar blonde vlechten.

An had ook blond haar. Als een mantel lag het om haar schouders en het rook altijd naar bloemen. Nu is er geen An meer en dat beseft hij elke minuut meer en meer. Zijn maag krimpt samen en het prikt achter zijn ogen. De wereld, waarin de kleuren in elkaar vloeien, neemt grillige vormen aan. Verbeten slikt hij zijn tranen weg. Zwemmen, dus. Goed, het moet dan maar.

Voor hij op zijn fiets klimt, duikt hij eerst een telefooncel binnen. 'Hallo, mam, met Pieter. Ja, we zijn net aangekomen. Ik loop nog even naar de bib. Tot straks.'

Hij springt op de trappers. Zonder dat hij het in de gaten heeft staat hij ineens op de dijk. De bekende geur van de stroom dringt in zijn neusgaten. Een boot vaart langzaam voorbij en trekt lange rimpelingen met zich mee. Hier heeft hij met An zijn kindertijd beleefd. Als moeder hen niet vond, hoefde ze maar bij het water te kijken.

'Pas goed op je zusje. Ik vertrouw op je!' Mams staat in de deuropening en wuift hen uit. Het is de eerste keer dat ze alleen op stap gaan. Wat zijn ze trots. Vooral Pieter, die zich de meerdere voelt.

Ans handje ligt warm in de zijne terwijl ze naast hem voortstapt. Ze draagt een lichtblauw jurkje met witte stippen. Het blonde haar ligt als een pluizige wolk rond haar gezichtje waarin de grote ogen schitteren. Iedereen is weg van Ans ogen. Ze hebben iets speciaals.

'Gaan we naar de dijk?'

Haar stemmetje klinkt hoog op. 'Is dat niet te ver van huis?'

Pieter voelt zich opeens vreselijk verantwoordelijk voor zijn zus. Er mag niets met haar gebeuren.

'Welnee. Het is er zo fijn en je kunt er de boten zien.'

Pieter weet dat zijn zusje dol is op boten. Ze kan er maar niet genoeg van krijgen. Vooral op de lange, platte die een hele lading met zich meevoeren en waarvan het dek bijna gelijk ligt met het wateroppervlak, is ze gek.

'Vooruit dan maar!' Hij trekt haar mee. Gek dat ze altijd wat kleiner is gebleven dan hij, ook al zijn ze tweelingen.

Vlug bestijgen ze de houten trap die hen naar de dijk voert. Ze voelen de wind in hun haren en de zon op hun gezicht.

'De zon is hier warmer,' zegt An.

'Dat komt door het water. Daar is de zon altijd het sterkst. Je wordt er lekker bruin van. Kijk, daar heb je het sashuis.'

'Waar?'

'Daar, tussen de struiken. Zie je het?' Pieters stem klinkt geheimzinnig.

Ja, nu ziet ze het ook. Een klein huisje met een vervallen rood pannendak en afgebladderde muren dat een beetje lager staat dan de rest.

'Kom, we gaan kijken,' roept hij opgewonden.

Ze aarzelt. Haar vingers omknellen zijn hand. 'Ik vind het toch wel een beetje eng.'

'Ach welnee, kom nu maar.'

Het sashuis ligt er verlaten bij. Het rode pannendak blinkt in de zon.

Alsof het gisteren was, herinnert hij zich hoe hij het samen met vader heeft hersteld. De pannen mochten ze bij een buurman weghalen. Die was maar wàt blij dat hij van die rommel verlost was. Van toen hij nog heel klein was, heeft deze plek altijd een grote aantrekkingskracht op hem uitgeoefend. Waarom wist hij toen niet. Nu weet hij het wel. Nu zuigt ze hem naar zich toe, omdat zij de meeste herinneringen aan An bewaart.

Hij verlaat het geasfalteerde pad en daalt voorzichtig af. Van de dijk kun je het sashuis moeilijk zien omdat het tussen de struiken staat. Maar als je de weg kent en niet bang bent om het smalle kronkelpad te volgen dat zich dwars doorheen dicht struikgewas en wildgroei van riet slingert, kom je er vanzelf.

Hij stoot de gammele deur open. De geur van moer en dras is doordringend en bijt in zijn neusgaten. De vloer is nog bedekt met slijk van de voorbije wintermaanden waarin het hier bij hoog tij soms volledig onder water staat. Hij zoekt een emmer en haalt water uit de poel vlakbij, waarna hij alles over de vloer uitkiepert en de aangekoekte modder met een borstel zoveel mogelijk wegschrobt.

'Ziezo, het begint er al wat op te lijken. We kunnen alweer zien wat we zeggen,' mompelt hij binnensmonds.

Er strijkt een windvlaag door de lage heesters. Een vogel fluit doordringend. Bij de trollenboom blijft hij staan. Aarzelend duwt hij de takken weg. Het is de eerste keer sinds Ans dood dat hij weer onder de bladerkoepel staat.

Voorzichtig glijden zijn vingers over de diepe groeven. Hij legt zijn hoofd tegen de stam en luistert. Maar hij hoort niets. Het hart van de boom behoort toe aan An, dat is niet voor zijn oren bestemd.

Wat mist hij haar. Maar hoe hij het ook draait of keert, toch beseft hij dat hij An zal moeten loslaten. Dat is de wet van het leven. Daar kan niemand onderuit.

Hij laat zijn tranen de vrije loop. Het doet goed dat hij zich niet hoeft te schamen. Hier is toch niemand en de vogels zullen hem niet uitlachen, vervelende vragen stellen of overdreven betuttelend doen omdat hij het moeilijk heeft.

Langzaam wordt hij weer rustig. Hij ziet Ans lieve gezicht duidelijk tussen de bewegende bladeren opduiken. Ze lacht hem vriendelijk toe. Ze is zelf gekomen om afscheid te nemen en tegen hem te zeggen dat zij nu tot een ander uur behoort, maar dat hij moet leven om haar taak hier af te maken.

Een ander uur, ja. Een uur dat ze zelf gekozen heeft.

Nu pas begrijpt hij de beslissing die ze toen nam om er niet langer meer te hoeven zijn.

Zijn nagels klauwen in de schors van de boom tot het pijn doet. Het zal niet gemakkelijk zijn, maar moeilijk gaat ook. Maar hij heeft beloftes gedaan en zal die houden ook. Dat is hij aan An verschuldigd.

'Ik zal je nooit vergeten,' fluistert hij.